人の物語

14

パクス・ロマーナ

［上］

塩 野 七 生 著

新 潮 文 庫

7509

目次

中巻目次

下巻目次

カバーの金貨について

人々が日々手にする通貨に最高権力者の横顔を刻む習慣を定着させた人は、終身独裁官になったユリウス・カエサルが最初だった。知名度普及を狙った政策であることはもちろんである。だがそのカエサルでも、金貨には刻ませていない。日本の紙幣にとりあげられる人の人選でもわかるように、誰からも反撥されない人である必要があったからである。それは、共和政時代のローマでは神々だった。だからカエサルの横顔は、銀貨にしか遺っていない。

帝政の始まりは、この遠慮を撤廃する。金貨でもその表面に、皇帝の顔が刻まれるように変わった。とはいえ神々が退場させられたわけではない。多くの場合は裏面にまわされている。この変化はただ単に、共和政から帝政に移行したからではない。皇帝の権力によって、反撥を押さえつけたのでもなかった。人々が、初代皇帝アウグストゥスの目指す「パクス・ロマーナ」に納得し、それを受け容れるようになったからである。

二〇〇四年八月、ローマにて

塩野七生

ローマ人の物語

パクス・ロマーナ［上］

トーガの端で頭部をおおった、最高神祇官姿のアウグストゥス

読者に

この巻の主人公になるアウグストゥスは、第Ⅲ巻に登場した人物の中でもひときわ生彩を放っていたスッラのように痛快でもなく、第Ⅳ・第Ⅴ巻を通して圧倒的存在を誇示したカエサルのように愉快でもない。

実戦の指揮をとればことごとく負けた事実は、第Ⅴ巻の後半で紹介したとおりである。それ以降は名だけの最高司令官としてでも臨戦する必要がなくなったので、戦闘は他人まかせで通した。それゆえにこの第Ⅵ巻では、手に汗にぎる戦闘場面もなければ、あざやかな逆転勝利を読む快感もない。とはいえ、戦争も政治もそれを遂行する最高責任者の性格が反映しないではすまないものならば、アウグストゥスに、カエサル式のあざやかさが欠けていたとしてもしかたがないのである。

しかし、それでいて私は、彼の生涯と業績を追っていた間、一度として退屈したことはなかった。この男は、三十三歳で戦場に出る必要がなくなってから七十七歳で死を迎えるまでの長い歳月、別の意味の戦争を闘いぬいたのだと感じたからである。

ユリウス・カエサルの言葉の中で、私が最も好きなのは次の一句である。

「人間ならば誰にでも、現実のすべてが見えるわけではない。多くの人は、見たいと欲する現実しか見ていない」

こうは思いながらもカエサルは、指導層の中でも才能に恵まれた人々には、見たいと欲しない現実まで見せようと試みたのではなかったか。『内乱記』を読むだけでも、書き手の品位を損なうような非難の言葉は使われていないにかかわらず、いやそれゆえにかえって、読む者をして、元老院の統治能力の衰えを認めざるをえない想いにさせる。

しかし、このカエサルから後継者に指名されたアウグストゥスは、目標とするところは同じでもそれに達する手段がちがった。なぜか。

第一に、何ごとにも慎重な彼本来の性格。

第二は、殺されでもすれば大事業も中絶を余儀なくされるという、カエサル暗殺が与えた教訓。

第三、演説であれ著作であれ、カエサルに比肩しうる説得力は自分にはないという自覚。

アウグストゥスは、見たいと欲する現実しか見ない人々に、それをそのままで見せるやり方を選んだのである。ただし、彼だけは、見たくない現実までも直視することを心しながら、目標の達成を期す。

これが、アウグストゥスが生涯を通して闘った、「戦争」ではなかったかと思う。

天才の後を継いだ天才でない人物が、どうやって、天才が到達できなかった目標に達せたのか。それを、これから物語ってみたい。

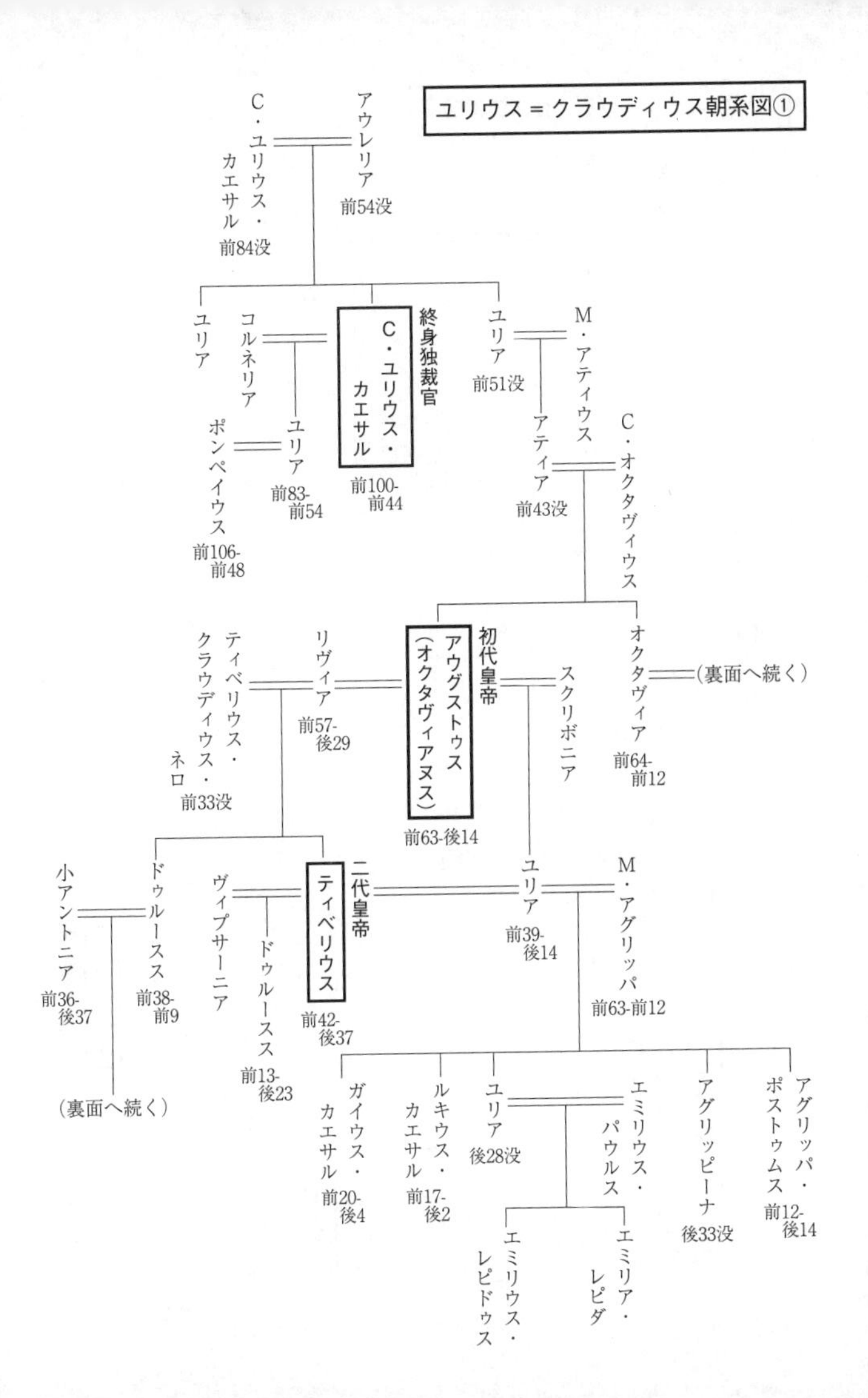

ユリウス＝クラウディウス朝系図①
C・ユリウス・カエサル
前84没
アウレリア
前54没
ユリア
コルネリア
C・ユリウス・カエサル
終身独裁官
前100-前44
ユリア
前51没
M・アティウス
ポンペイウス
前106-前48
ユリア
前83-前54
アティア
前43没
C・オクタヴィウス
ティベリウス・クラウディウス・ネロ
前33没
リヴィア
前57-後29
アウグストゥス（オクタヴィアヌス）
初代皇帝
前63-後14
スクリボニア
オクタヴィア
前64-前12
（裏面へ続く）
小アントニア
前36-後37
ドゥルースス
前38-前9
ヴィプサーニア
ティベリウス
二代皇帝
前42-後37
ユリア
前39-後14
M・アグリッパ
前63-前12
ドゥルースス
前13-後23
（裏面へ続く）
ガイウス・カエサル
前20-後4
ルキウス・カエサル
前17-後2
ユリア
後28没
エミリウス・パウルス
アグリッピーナ
後33没
アグリッパ・ポストゥムス
前12-後14
エミリウス・レピドゥス
エミリア・レピダ

ユリウス＝クラウディウス朝系図②

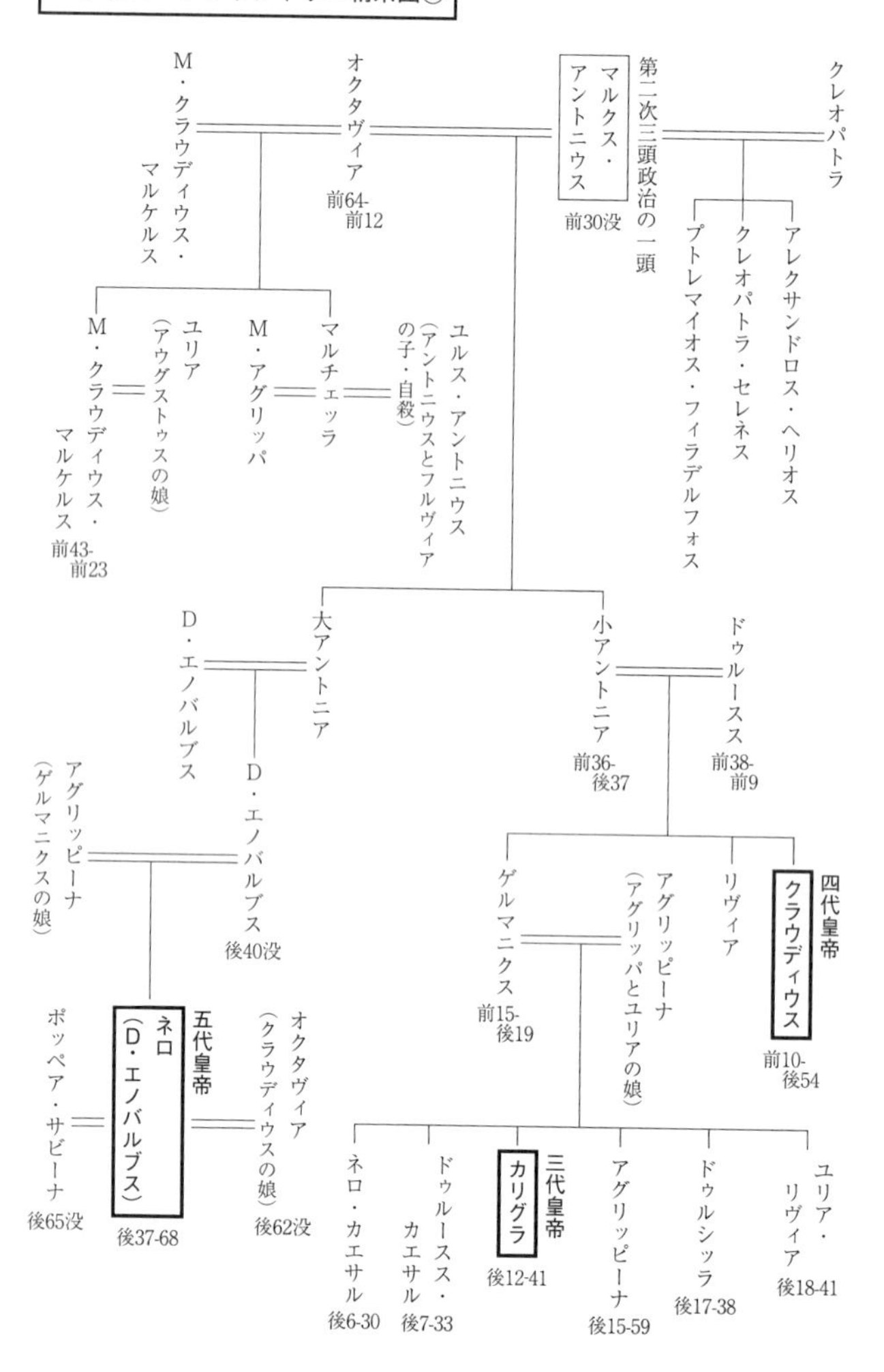

第一部　統治前期（紀元前二九年～前一九年）

アウグストゥス、三十四歳～四十四歳

若き最高権力者

紀元前三一年九月、ギリシア西岸の海上で闘われた「アクティウムの海戦」で、アントニウスとクレオパトラの連合軍は敗北した。翌・前三〇年八月、エジプトに逃れていた敗者二人は、一人は剣で一人は毒蛇で自殺する。そして前二九年の八月、ローマでは、勝者オクタヴィアヌスを迎えて挙行された、三日間にわたる壮麗な凱旋(がいせん)式に市民は熱狂した。凱旋式は、外敵エジプトへの勝利を神々に感謝し市民とともに祝うためのものであり、同じローマ人であるアントニウスの名はそのどこにもなかった。だが、ローマ人ならば子供でも、その年の凱旋式こそ、長かった内乱の終わりを告げるものであることを知っていた。それが開かれているかぎりローマは戦争状態にあるとされてきた、戦いの神ヤヌスを祭る神殿の扉も閉じられる。時代の流れには人一倍敏感な詩人たちも、ヴェルギリウスやホラティウスをはじめとして、再復された平和への喜びを高らかに歌いはじめていた。その中でオクタヴィアヌスは、三十四歳を迎えていた。

凱旋式も終った九月、オクタヴィアヌスは、義父でもある神君カエサルに捧(ささ)げる神殿を、フォロ・ロマーノの中心部に建てることを公表した。同時に、カエサルが生前に企画していた元老院議場(クーリア)を、カエサルの企画どおりに、フォロ・ロマーノの延長として建てられていた「カエサルのフォールム」に接して建てることも公表する（現在見られるのは後代に改築されたもので、位置が少しずれている）。また、パラティーノの丘の上に、アポロ神に捧げた神殿の建立(こんりゅう)も決める。復讐(ふくしゅう)の神マルスに捧げた神殿を中心とする「アウグストゥスのフォールム」は建設中だったが、この神殿の建立は、ブルータスと対戦した紀元前四二年のフィリッピの会戦前夜に、この戦いに勝たせてくれたら神殿を捧げると祈った、マルス神への誓約を果すのが目的であった。一方、アポロ神殿のほうは、アントニウスと対戦したアクティウムの海戦前夜に、勝利を祈願した神がアポロであったからだ。だが、高級住宅地であったために庶民が足を向ける度合は少ないパラティーノでも、そこに建てられるアポロ神殿は孤立した聖域にはならなかった。詩神アポロにふさわしく、神殿に近接して国立図書館が建設されたからである。ギリシア語とラテン語双方の書物を集めた国立図書館は、「カエサルのフ

カエサルのフォールム（左側後方はカピトリーノ丘のユピテル神殿）：想像復元図

ユリウス元老院議場：想像復元図

ォールム」内のものとこのアポロ神殿併設のものとで二つになった。

ローマ人が公共事業としては最も重要視した、インフラストラクチャーの整備も忘れていない。ちなみに、この言葉そのもののラテン語はないが、「の下に」とか「の中に」を意味する「インフラ」はそのままでラテン語であり、ストラクチャーのほうも、構造を意味する「ストゥルクトゥーラ」としてちゃんとある。社会資本の概念は、古代ローマに発しているのだ。

そして、社会資本ないし社会基盤の重要性を知る民族は、その修理修復の重要性も知っている。オクタヴィアヌスが最高権力者になった直後に実行した〝インフラ整備〟の最重要工事は、ローマから北へ向う幹線道路の二つのうちの一つ、フラミニア街道の全線改修だった。彼はこの大工事を、全額自費で完成させている。

ここまでは、勝利の後に帰国した凱旋将軍が、ローマでは伝統的に行うことであった。勝利獲得を助けてくれた神々への感謝と、勝利で得た名誉を公共事業を行うことで共同体に還元するのは、凱旋式挙行を許されるほどのことを成し遂げた者の責務と考えられていたからである。

しかし、紀元前二九年当時のオクタヴィアヌスは、単なる凱旋将軍ではなかった。前八二年当時のスッラ、前四六年当時のカエサルと同様の、唯(ただ)一人の絶対権力者の立

アウグストゥスのフォールム：想像復元図

場にあったのだ。そして、スッラの手中に落ちたのは敗れたマリウス派に属した人々の名簿であり、ポンペイウスに勝ったカエサルの手中に落ちたのも、ローマに残ったポンペイウス派の隠れシンパからの手紙までもふくめた証拠書類であったと同様、オクタヴィアヌスもまた、アントニウス側の人々に関する一切の情報を手中にしていたのである。だが、それら証拠書類の活用となると、三者三様ではあった。

スッラは、それをもとにして、反対派の徹底的な粛清を断行した。四千七百人ものローマの有力者たちが殺され資産を没収され、子孫の末にいたるまでが公職から追放された。

カエサルは、証拠書類には眼を通すこともせずに焼き捨てさせた。そして、ポンペイウス派であったことが明らかな人々も隠れシンパも問わず、全員を許した。カエサルにとって許すということは、公職復帰も許すということであった。

このカエサルの「寛容（クレメンティア）」を、カエサルの後継者と自他ともに認めるオクタヴィアヌスも踏襲したのである。最後までアントニウスを見捨てなかった人までが、再び元老院の議席に坐ることになった。だが、証拠書類は、焼かせたという噂（うわさ）は広めたが、それを実際に見た者は一人もいなかった。三十四歳の絶対権力者は、旧アントニウス派の人々の秘（ひそ）かな怖（おそ）れを、そのままで放置するほうを選んだのである。

軍備削減

ローマ中が上から下まで「融和（コンコルディア）」の再復を喜んでいる中で、若き絶対権力者はそれをより印象づける政策を発表していた。軍備の削減である。そしてこれは、実際に軍勢を指揮して勝ったアグリッパの同意と協力なしには、成し遂げられないことでもあった。

紀元前二九年当時、唯一人の勝者となったオクタヴィアヌスの許（もと）には、膨大な軍事力が残っていた。彼自らが記した数字では、五十万人を越える。これほどにも増えていたのは、アントニウス側についていた将兵までが加わったからである。降伏した兵士は、勝将に忠誠を誓うことで捕虜になることから免(まぬが)れる。アントニウスとクレオパトラは陸上戦もしないで敗北したので、敵軍のほとんどが手つかずで投降したことになった。

若き権力者は、五十万にもなってしまった軍事力の、大幅な削減を断行する。ただし、ローマ軍の兵士なのだから、身一つで除隊させるわけにはいかない。転職先と、転職に必要な資金、つまり退職金も用意してやる必要があった。また、これを怠れば兵士たちの不満を呼び、その行きつく先は社会不安だった。

問題は財源である。クレオパトラが遺した「プトレマイオスの財宝」を売って得た金(かね)はすべて投入されたが、それでも不充分で、オクタヴィアヌス自身が私財を提供しなければならなかった。

しかし、兵役の志願者の多くは、無産階級(プロレターリ)に属す者か、資産は少しはあっても次男か三男かである男たちだ。故郷にもどると決めた男たちにも、属州内に建設される植民都市(コローニア)に行くと決めた男たちにも、入植地の選定と購入はオクタヴィアヌスの仕事だった。なぜなら、どこにどの規模で入植させるかということは、国家の政略でもあったからだ。

この二つの理由で、軍事力の削減は、一朝一夕にはいかない大事業になる。とはいえ、オクタヴィアヌスは急いだにちがいない。五十万もの兵士を維持していく費用を考えるだけでも、〝軍縮〟は急ぐ必要があった。いつ頃完了したのかは明らかでないが、最終的には、五十万人は十六万八千にまで削減されたのである。

しかし、若き最高権力者は、平和がもどってきたから軍備も減らすなどという、単眼的な考えで削減したのではなかった。兵士一人一人の生産性を高めるという言い方はないのかもしれないが、実際はそれを目的にした軍制改革も実行しつつあったのだ。だが、私をして、これでこそ〝リストラ〟の名にふさわしいと感嘆させた軍事力の再編成については、あらためて後述することにしたい。

オクタヴィアヌスは、手段ではちがっても目的では、完全にカエサルと考えを一にしていた。国家ローマは、領土拡張の時代から領土維持の時代に入ったとする認識である。だが、カエサルがその目的に向って歩むことができるようになったのは、五十代も半ばに近づいてからだった。オクタヴィアヌスは、カエサルよりは二十歳も若い時期に歩みはじめる幸運をもつ。消化器系が弱かったオクタヴィアヌスは、健康面ではカエサルに劣ったであろう。しかし、五十代と三十代とでは、使える時間への考えかたがちがう。オクタヴィアヌスが、ゆっくりやれる、と考えたとしても当然だった。

国勢調査

翌・紀元前二八年、その年担当の執政官（コンスル）であったオクタヴィアヌスとアグリッパの二人によって、国勢調査（チェンスス）が実施された。前回に行われたのはポンペイウスとクラッススが執政官であった前七〇年であったのだから、四十二年ぶりの「チェンスス」である。これも、国家ローマに平和がもどってきたことの証（あか）しと人々は喜んだ。だが、この年に行われた「CENSUS」は、これまでのものとはちがっていた。

現代でも各国語で国勢調査を意味する言葉の語源になっているのが示すように、国力の総合的な調査であったのだ。従来の調査では資産と十七歳以上の成年男子の数を調べるだけだったが、それは調査の目的が兵役該当者の数を知ることにあったからである。また、調査の対象も、本国に住むローマ市民権所有者に限られていた。

しかし、紀元前二八年に実施され、オクタヴィアヌスの在世中だけでも前八年、後一四年と三度実施されることになる国勢調査では、対象は女、子供、奴隷（どれい）にまで及んだようである。ただし、現代にまで史実として遺っているのは、やはり最重要項目と考えられていた、ローマ市民権をもつ十七歳以上の成年男子の数であった。

オクタヴィアヌスが自ら記した数字では、次のようになる。

紀元前二八年——四百六万三千人
紀元前八年 ——四百二十三万三千人
紀元後一四年——四百九十三万七千人

有権者のこの数は、オクタヴィアヌスに、生前のカエサルが見透していた、ローマ型の共和政体の限界を再認識させたにちがいない。

なぜなら、ローマ型の共和政体での最高決定機関は、市民権所有者である有権者を集めての市民集会だが、このように数が増えてしまうと、首都ローマに来て選挙権を行使できる人の数は減る一方になる。これでは、市民の意見の反映とは言っても、ごく一部の市民の意見の反映でしかなくなる。また、紀元前一世紀のローマの統治者には、ローマ市民権をもつ本国人だけでなく、その十倍もの数の属州民も治める仕事が課されていた。

それにしても、四十二年昔の調査では九十万人であったのだ。この大幅な増加の理由は、まず第一に、カエサルが住民全員にローマ市民権を与えた北伊属州が、この年の調査からは本国イタリアに加えられたからだろう。理由の第二は、調査が属州にまで及んだことを証明している。実際、属州税もこれ以後は、国勢調査の結果に基づいて課税されることになるのである。何ごとであれ新しいことをはじめる場合の基本姿勢は、現状の正確な把握にあるのは当然だ。

国勢調査（チェンスス）は、イタリア本国と、属州でも入植者がローマ市民である植民都市（コローニア）から最も早く結果が上がってきた。ローマ人がこの種の調査に慣れていたのと、このような調査に必要な組織づくりが、地方自治体（ムニチピア）を中心に出来上がっていたからである。それゆえ属州では、本国並みの効率は求めようもなく、結果が上がってくるまでには数年を要したのもしかたがなかった。

しかし、この時期のオクタヴィアヌスは、これより一千五百年が過ぎたルネサンス時代の政治思想家マキアヴェッリが言うように、「新しい政策を断行しなければならない場合は、人々に考え批判する時間を与えないよう次々と行うべきである」を、まるで先取りしたかのごとくであった。〝軍縮〟が進行中、属州まで広げた国勢調査もはじまったと同じ年の紀元前二八年、自分と自分の家族たちのための墓所の建設もはじめていたのだ。

霊廟建設

古代ローマの指導者たちには、ピラミッドに示されるような、エジプトのファラオたちがもっていた死後への執着はなく、オリエントの専制君主のように、権力を誇示した壮大な霊廟を建てる習慣もなかった。墓に無関心であったのではない。無関心でなかった証拠は、現代もなおアッピア街道の両側に並び立つ、墓所の遺跡が示すとおりである。エジプトをまねた、本家に比べれば犬小屋程度の小型ピラミッドまで建てる変り者さえいた。だが、その規模のおとなしさや副葬品が日常の品にかぎられていることからも、古代のローマ人の死後への執着は希薄であったとするしかない。墓も、死後の安住の地以上のものではなかった。

後に「皇帝廟（マウゾレウム・アウグスティ）」と呼ばれることになるその墓所は、フォロ・ロマーノから北に直線で走っているフラミニア街道と、その辺りから大きく蛇行して南に流れるテヴェレ河の間の土地に建てられた。河岸工事を完備しただけでなくその上に自動車道路まで走らせている現在よりも、当時は、よほどテヴェレ河に近接していたにちがい

墓所の立ち並ぶ首都近くのアッピア街道：想像復元図

ない。蛇行するテヴェレが大きく囲いこむ、昔から「マルス広場（カンプス・マルティウス）」と呼ばれてきた一帯の北辺にあたった。カエサルがあちこち破壊させたにしろまだ概念では残っていた、共和政ローマの都心部を囲む「セルヴィウス城壁」の外側だから、都心部には墓を置かないと決めているローマのやり方に逆らったわけではない。

しかし、直径九〇メートルもの三段にそびえる円型の霊廟は、人眼をひかないではすまなかったであろう。壁は、白の総大理石張り。一段ごとに植えこまれた糸杉の群れが、一年を通じて緑で飾る。円型の霊廟の外側は、これまた大理石張りの壁で四辺を囲み、最上部の糸杉の上に一段と高く、これを造らせた当人の銅像がそびえ立つ。入口は、南に、つまりローマの住民たちが何かといえば集まる「マルス広場」に向って開いていた。

この「皇帝廟（マウゾレオ（伊））」は、私の住まいから歩いて二分もしない距離にある。そうなれば日常の道筋に当るわけだが、そのわきを通るたびに、考えあぐねたものだった。

三十五歳の男が、墓を欲しがるものだろうか。虚弱体質であったとはいえ、あの時期はまだ大病をわずらってもいない。それに、彼が造るまで、ローマにはこれほど大規模な墓所を造った人はいなかった。二百年後にハドリアヌス帝が、現代では「カステル・サンタンジェロ」と呼ばれる大霊廟をテヴェレの対岸に造るが、それまではこの「マウゾレオ」が、ローマでは最も大きく最も人眼をひく墓所であったのだ。

パラティーノの丘上の私邸があれほども質素なのに、墓だけはなぜ壮麗なものを造らせたのか。死後よりも現世を重んじた彼の生涯の送り方からも、死後により強く執着するタイプとは思われなかった。墓には無頓着だったカエサルの養子でありながら、カエサルの後継者である立場をことあるごとに誇示したオクタヴィアヌスなのに、なぜ墓所の完備だけは急いだのか。そして、王政復活には本能的なまでの拒絶反応を示したローマ人に、霊廟の建設が疑惑をかき立てるとは心配しなかったのであろうか。

しかし、「マウゾレウム」建設の目的は、純粋に政治的な理由にあったのである。

皇帝廟：想像復元図（上）と平面図（下）

そして、三十五歳の建設主(ぬし)は、このような行為に最もアレルギーを起しがちな、元老院懐柔の策も忘れてはいなかった。

情報公開

ローマには、紀元前五九年から、ということは前二八年の当時にすれば三十年もの間、ユリウス・カエサルが最初に執政官に就任した年に定めた法がそのままで通用していた。「アクタ・ディウルナ」または「アクタ・セナートゥス」と呼ばれ、直訳すれば「日報」ないし「元老院議事報」となる。元老院で行われる討議や決議のすべてを、会議の翌日にフォロ・ロマーノの一画の壁面に張り出すというやり方で実施された、言ってみれば〝情報公開法〟である。なぜなら、それまでは、元老院で行われることのすべては閉じられた扉の内部で成され、一般市民はその内容を、扉が開かれて出てくる議員たちの発言か、元老院での決議の承認を、市民集会が求められたときにしか知ることはできなかった。カエサルはそれを、審議されている段階からすでに公開にしてしまったのだ。市民でも情報を与えられる権利はもつとしたこの法案に、内心ではおおいに不満であった元老院議員でさえ、賛成票を投ずるしかなかった。

不満は、その人たちの立場に立つならば理解できないこともない。なぜなら、秘密とは、それを所有する者の権力を増すうえで、最も有効な手段であるのだから。カエサルの情報公開法とは、情報公開の必要を公認させる目的の他に、元老院が享受(きょうじゅ)してきた既得権力の一角を突き崩す目的もあったのだった。

このカエサルの養子で、自他ともに後継者と認められていたオクタヴィアヌスは、しかし、この法を改める行為に出る。元老院議事録が、早くもその翌日に、ローマの都心中の都心であるフォロ・ロマーノに張り出されることはなくなった。元老院議員たちが喜んだのも当然だ。彼らは、「元老院体制」を破壊することに専念したカエサルとちがい、その息子はどうやら、元老院の権威を認めるつもりでいるらしい、と思いはじめたのであった。

しかし、実施当初から評判がよく、その後三十年もの間つづいてきたことを全廃してしまうようなやり方は、オクタヴィアヌスはとらなかった。世間に通用してきた呼び名の「アクタ・ディウルナ」(日報)と「アクタ・セナートゥス」(元老院議事報)を、内実にそって分離したのである。

「アクタ・セナートゥス」は、以前と同じく速記で記録され、それらはすべて

「公文書庫（タブラリウム）」に保管され、希望者には、誰でもいつでも読む自由を保証した。こうすることで、情報公開の理念は守られたのである。だが、庶民が何かといえば集まるフォロ・ロマーノに張り出され、意識しないでも眼に入るたぐいの情報公開ではなく、知りたい人が出向いて読むからこそ現実化する情報公開だ。元老院議員たちにすれば、自分の発言が早くもその翌日に庶民の口の端（は）にのぼらなくなっただけでも、歓迎すべき改革なのであった。

「アクタ・ディウルナ」のほうだが、これをオクタヴィアヌスは、「日報」という訳語よりも「官報」としたほうが妥当なものに変える。首都ローマで決まったすべての公的な事柄、元老院での議決事項や公職選挙の結果などが逐一記録され、本国内の地方自治体や属州内の植民都市（コローニア）に住むローマ市民に知らせる「官報」になった。二代目の皇帝ティベリウスの時代になってからは、元老院での討議の要約まで掲載されたりして内容も一段と充実したものに変るので、現代の新聞の祖先とまで言う学者もいる。「アクタ・ディウルナ」の名で独立して発行されるようになってから百年以上も後の人である史家タキトゥスの著作中にも、次のような記述があるのだ。

「アクタ・ディウルナは、ローマ市民が多く住むローマ軍基地や植民都市にかぎらず、属州民の間でも広く読まれている」

「アクタ・セナートゥス」と「アクタ・ディウルナ」、そして五百年以上もつづいて記録されてきた国家ローマの公式記録である「アナーレス・マキシミ」（最高神祇官記録）の三つが、ローマ人に関する公式の情報源になるのである。正確な情報の重要性を知っていたローマ人のことだ。ローマ帝国が存在する間、この三つともが存続しつづけることになる。

元老院の〝リストラ〟

〝壁新聞〟の廃止によって元老院の好感を稼いだオクタヴィアヌスは、すぐつづいて、元老院の再編成に着手した。

元老院議員にしてみれば、既得権が改革の波にさらされるのだから歓迎するはずもないが、三十五歳の最高権力者は、彼らでも歓迎するやり方で改革を実現したのである。また、どんな頑固な守旧派でも認めざるをえないほど、紀元前二八年当時の元老院は乱脈状態にあった。

紀元前四五年、ポンペイウスをはじめとする元老院体制堅持派を降して最高権力者になったカエサルは、スッラの改革以来六百人が定員であった元老院の議員数を、九百人に増員するやり方で、元老院の改革を断行した。これによって新たに元老院の席を占めるようになった人々には、属州に住むローマ市民権所有者の他に、カエサルによって征服されてまもない、中北部ガリアの部族長たちも少なくなかった。敗者同化では長い伝統をもつ、ローマ人自身が驚いたくらいである。このカエサルの開放路線を不快に感じた人々には、本国生れの指導層に属すことに誇りをもつ、キケロやブルータスのような元老院議員がいたのだった。

ところが、カエサル暗殺の後に実権を奪取しようと策したアントニウスが、自派の強化のためにさらに議員数を増やしたのだ。このときに議席を得た人々を、庶民までが、「冥界からの任命議員」と言って笑った。自分の名では効果薄しと見たアントニウスが、生前のカエサルが決めていた人事であるとして強行したからである。

そのうえ、アントニウスを降して以後のオクタヴィアヌスは、アントニウス側についた元老院議員でも全員を許し、公職への復帰も許している。おかげで、内乱も終り平和のもどってきたローマの元老院は、議場に入りきらないくらいの数の議員をかかえることになってしまった。一千名を越える数になっていたという。オクタヴィアヌスはそれを、六百人にまで減らす考えでいた。

若き最高権力者はまず、一部の議員に対しては、彼自身で説得して議席を辞退してもらう策に出た。この人々が意外と簡単に承知した事情から想像して、一部の議員というのは、カエサルによって登用されたガリア人ではなかったかと思う。彼らの立場は、親代々のローマ人と比べればやはり弱かった。それに、この人々を元老院入りさせたことが、カエサル暗殺の真因ではなかったかと言われたくらいだから、オクタヴィアヌスにそれを取りのぞく理由がなかったわけではない。しかし、今日で言えば国会議員であり、ローマ時代でもエリートの代名詞であった元老院議員への属州民登用は、これによって、クラウディウス帝の時代になるまでの九十年間、中断されてしまうのである。この一件は、後世の学者たちが、カエサルに比べてアウグストゥスの保守性を指摘する一因になっている。

とはいえ、この〝肩たたき〟によって、七十人は減らすことができた。しかし、形式的にはしろ自主的な議席辞退なのだから、若き権力者も見返りは忘れていない。国家が主催する競技会や劇の催しには、元老院議員並みの席を確保することを条件にした。

百四十人の議員に対しては、オクタヴィアヌスは強硬手段に訴えている。つまり、元老院の議席の剝奪（はくだつ）である。カエサル暗殺直後の混乱の時期に、権力者に取り入って元老院議員になっていた元奴隷さえいたというのだから、元老院議員にふさわしくない者の追放は、親代々の元老院階級に属す人々にとっては、歓迎こそすれ反対する理由はないのだった。この百四十人に対しては、当然のことだが見返りはない。

　これで二百十人の議員を減らすことには成功したが、まだ二百人近くも多すぎる。それでオクタヴィアヌスは、次の手段で減量に挑戦した。

　その年の執政官である彼自身とアグリッパの二人で、まず、三十人を選ぶ。この三十人が、別の三十人を選ぶ。選ばれた三十人が、また別の三十人を選ぶ。このやり方は、元老院の議員数が定員の六百に達するまでつづけられた。

　こうして定員を六百にもどしたことも、元老院の好感を得るに役立った。建国以来ずっと三百であったのを、六百に増員したのはスッラである。それをさらに九百に増員したのが、カエサルだった。しかし、スッラの増員の理由が元老院の強化にあったのに対し、カエサルの増員の真意は、元老院体制の打倒にあったところがちがう。六百にもどしたオクタヴィアヌスの行為は、共和政主義者の眼にさえ、若き権力者の元老院重視の証（あか）しと映ったのである。そして、この翌年、若き権力者は、それこそ共和政信仰者を狂喜させることをやってのけることになった。

共和政復帰宣言

紀元前二七年一月十三日、議場を埋めた元老院議員たちを前にして、三十五歳の絶対権力者は、共和政体への復帰を宣言したのである。

即興の演説が得意でなく、重要議事をあつかう場合はとくに、あらかじめ準備した草稿を読みあげたといわれるオクタヴィアヌスのことだ。その日の宣言も、原稿を読みあげる形で成されたにちがいない。そして彼自身、死後になって公表されたがゆえに『神君アウグストゥスの業績録(レス・ジェスタエ・ディーヴィ・アウグスティ)』と呼ばれることになる『業績録』では、このことについて次のように記述している。

「（内乱も完全に終了した）わたしが七度目の執政官であった年（紀元前二七年）、それまでは市民全員の同意のもとにわたし一人に集中していた権力のすべてを、元老院とローマ市民の手に再びもどした」

別の史家の記述では、ブルータスらの反対派を破り、アントニウスというライヴァルも降してローマ世界唯一(ゆいいつ)の権力者になった三十五歳のオクタヴィアヌスは、まるで、闘いを終えた戦士が武器を置き、甲冑(かっちゅう)を脱ぎ捨てるとでもいう感じで、並居る元老院議員たちに向って次のように言ったという。

「わたしの一身に集中していた権力のすべてを、あなた方の手にもどす。武器と法と、ローマの覇権下にある属州のすべてを、元老院とローマ市民の手に再びもどすことを宣言する」

軍事と政治と外政の決定権のすべてを、元老院と市民の手にもどすと宣言したのである。

議場は一瞬、凍りついたように静まりかえった。だがすぐに、歓声の渦に巻きこまれた。予想もしていなかった事態に、いつもは重々しく振舞うことしか頭にない元老院議員たちも、思わず子供に帰っていたのである。

共和政体への復帰とは、ローマでは、元老院が政策化し市民集会が承認を与えることで成り立つ、寡頭政(オリガルキア)と呼ばれる少数指導制の復活を意味した。言ってみれば、「元老院体制」と呼んでもよい政体だ。ユリウス・カエサルが、ルビコンを渡るという国法を犯してまでも打倒を決意し、内乱に訴えまでして打倒した政体であった。そのカエサルの「息子」のこの変容に、元老院議員たちが歓声をあげて喜んだのも、再び自分たちの手に、ローマという大船の舵取(かじと)りの役がもどってきたと思ったからである。

国家の最高官職である執政官（コンスル）でも二人置くシステムにしたほど権力の集中化を防いできたローマでも、このときもふくめて三度、唯（ただ）一人が全権力を手中にした例があった。スッラとカエサルと、そしてマルクス・アントニウスに勝った紀元前三〇年当時のオクタヴィアヌスである。

スッラは、反対派の大粛清を決行して無期限の独裁官（ディクタトール）に就任して以後、元老院の強化を骨子とする国政改革を断行し、それを終えるや自ら独裁官を辞任した。危機管理システムでもある独裁官を辞任することで、共和政体堅持を明らかにしたのである。だが、それにいたるまでの粛清のすさまじさが、元老院体制堅持派にさえ、血塗られた復権の匂（にお）いを後々まで印象づけることになった。

カエサルは、全権をにぎった後も反対派の全員を許し、公職への復帰も認めた。粛清の嵐（あらし）は吹き荒れなかったが、「終身独裁官（ディクタトール・ペルペトウア）」に就任することで、元老院体制の復活を期待していたキケロやブルータスのような、共和政主義者たちの夢を打ちくだいてしまったのである。

オクタヴィアヌスは、全権力を手中にしてからも反対派の粛清はしなかった。敗者たちの公職への復帰も認めた。そして今、共和政への復帰宣言である。内戦時代に享（きょう）

受していた特権のすべてを、元老院とローマ市民の手にもどすと宣言したのだ。言葉どおりに受けとった元老院議員たちが、狂喜したとて当然であった。

一身に集中していた特権のすべてを放棄すると宣言したのは、共和政体下のローマ市民としては賞讃されてしかるべき行為だが、実際にオクタヴィアヌスの享受してきた特権とは、いったい何であったのか。

一、三頭政治権（トリウンヴィラートゥス）
二、イタリア誓約（コニュラーティオ・イタリエ）
三、世界的賛意（コンセンスス・ウニヴェルソールム）

特権の㈠とは、紀元前四三年末に結成されたアントニウス、レピドゥス、オクタヴィアヌスの三頭で結成された、史上「第二次三頭政治」の名で呼ばれる実力者間の共闘体制樹立によって得た権利を指す。ポンペイウス、クラッスス、カエサルによる「第一次三頭政治」が私的な共闘体制であったのに反し、第二次のほうは市民集会の承認を得ていたから、合法の「危機管理システム」と言ってよかった。

しかしこれも、紀元前三〇年のアントニウスの敗死と、それ以前にすでに起きていたレピドゥスの引退で、有名無実と化していた。そのうえ、第二次の「三頭政治」は、結成の翌年に断行された、処罰者名簿まで作っての徹底した反対派の粛清の対象にされた、二千三百人ものローマ人の血と怨念（おんねん）というマイナス・イメージまで引きずっていたのである。オクタヴィアヌスは、アントニウスに勝ったアクティウムの海戦の勝利を元老院の議場で報告する役を、キケロの遺子にさせている。キケロは、処罰者名簿の筆頭にあげられて殺された、犠牲者の中では最も有名で最も尊敬されていた人物だった。処罰者名簿作成にはオクタヴィアヌスも参加していたのだから、キケロ粛清では彼も同罪のはずだが、アントニウスに勝ってからは、そのときの粛清によって生じたマイナス・イメージを、アントニウス一人に転嫁（てんか）しようとしていたのだ。いずれにしても、「三頭政治権（トリウンヴィラートウス）」は、今となれば放棄したほうが利になるという、特別権力であったのだった。

特権の㈡の「イタリア誓約」だが、これは紀元前三二年、いよいよアントニウスとクレオパトラ相手の決戦のときが訪れたと知ったオクタヴィアヌスが、国家ローマにとっては本国になるイタリア半島に住む市民全員に求めた誓約である。それに応じたイタリアの地方自治体のすべてが、オクタヴィアヌスを、「国家ローマを守るために敵エジプトを攻める軍の最高司令官」に選出し、彼への忠誠を誓ったのだった。それゆえにこれも、危機への対処が目的で与えられた特権である。アントニウスもクレオパトラも死んだ後も持ちつづけたのでは、共同体（レス・プブリカ）の私有化と誤解されかねないのだった。

特権の㈢であった、私が下手な直訳をせざるをえなかった「世界的賛意（コンセンスス・ウニヴェルソールム）」だが、これは㈡の誓約を、本国であるイタリア内に限らず、ローマの属州にまで拡大してオクタヴィアヌスに与えた特権である。ローマ世界の東半分はアントニウス下にあったから、世界的とは言ってもローマ世界の西半分の「賛意（コンセンスス）」ではあったけれど、属州の民までが一致してオクタヴィアヌスを支持したという意味をもっていた。

ただし、「イタリア誓約（コニユラーティオ・イタリエ）」が、言葉の誓約にとどまらず、兵士の募集権を認め臨時税の負担まで耐えるという誓約であったのに比べ、「世界的賛意（コンセンスス）」を求められた属州民には、右のような義務はない。属州税ですらも、値上げされなかった。オクタヴィアヌスが欲していたのが、アントニウスとクレオパトラとの決戦のために東方に発つ自分の背が、つまりローマ世界の西方が、決着がつくまでの間平穏でいてくれることだけであったからだ。

いずれにしても、この㈢の特権もまた、危機への対処を目的にした臨時特権であることでは変りはない。そして、㈡の権利はとくに、臨時の課税権まで認めているところから、持ちつづけたのではローマの世論を敵にまわしかねないのだった。

このように実情は、手離したほうが利益になる特権を放棄したにすぎなかったのだが、この三つの特権ともがローマ型の共和政体には合わない権利であるのは明らかである。だから、それを放棄し共和政にもどすとしたオクタヴィアヌスの宣言は、嘘（うそ）を言っているわけではなかったのである。

とはいえ、三十五歳の最高権力者は、何もかも放棄して元老院の一議員並みになる、と宣言したのではなかった。では、手離さなかったのは何であったのか。

まず、紀元前四三年に十九歳という異例の若さで選出されたときをはじめにして、また前三一年からは連続して就任していた執政官職を辞任していない。前二七年の共和政復帰を宣言した年は、彼は七度目の執政官を務めていたのだ。そして、この後も前二三年までの毎年、執政官に選出されつづける。共和政体では国家の最高位になる執政官職を、オクタヴィアヌスは、共和政下では違法にならないでもない連続選出という、危険を冒してまでも保持しつづけるのである。

このことに気づけば、「武器と法とローマの覇権下にある属州のすべてを、元老院とローマ市民の手に再びもどす」としたオクタヴィアヌスの宣言は、共和政復帰を喜ぶのとはちがう印象を与えたはずである。しかし、たとえ連続就任にしても、執政官はレギュラーな官職であり、イレギュラーな権力は放棄すると言った彼が、嘘をついたわけではなかったのだった。

オクタヴィアヌスが放棄しなかったことの第二は、「インペラトール」の称号を、常時用いる権利である。インペラトールとは、ローマでは従来、戦勝後に兵士たちが勝利の将軍に向って呼びかける敬称であった。それを常時使用する権利を認められたのはカエサルだが、カエサルならば右の意味でも不似合ではなかったろう。だが、オクタヴィアヌスが勝てたのはアグリッパが指揮したからであることを、ローマ人ならば誰でも知っている。とはいえ、ローマ人にとっての「インペラトール」という言葉のもつ重要性は、カエサルもわかっていたがオクタヴィアヌスも理解していたのだ。それで彼は、義父カエサルからゆずられた世襲の権利として、「インペラトール」の常時使用権を保持することにしたのである。これ以降、彼が建てさせた建造物には、IMPERATOR の略語である IMP が、彼の名の前に必ず彫りこまれるのが常になる。

とはいえ、慎重な彼のことだ。軍事力を想わせずにはおかない「インペラトール」の使用を、彼自身は極力避けている。『業績録』でも使っていない。

しかし、「インペラトール」の称号を世襲の権利として保持した意味は大きかった。そうなれば、軍団指揮権の終身性とそれの後継者たちへの継続性も保持することと同じになるからだ。これだけでも、事実上の帝政である。オクタヴィアヌスによって共和政復帰が宣言された紀元前二七年当時、いったい何人のローマ人が、インペラトールがいずれは「皇帝」を意味するようになるのに、気づいていたであろうか。

オクタヴィアヌスが放棄しなかった権利の第三は、「プリンチェプス」（第一人者）という称号である。

princepsとは、古代のローマでは、国家（レス・プブリカ）の市民中の第一人者、の意味でしかない。またその延長として、指導者、リーダーの意味でも用いられる。紀元前二九年、元老院はこの称号を、アントニウスを降して帰還した三十四歳のオクタヴィアヌスに、長期にわたった内戦状態を終結させた功に報いる意味で贈ったのだが、これが、「インペラトール」常時使用の権利はあってもその使用を自重したオクタヴィアヌスにとって、実に便利な隠れみのを提供することになった。

共和政主義者にとって、「インペラトール」は挑発的に響いたとしても、「プリンチェプス」ならば、その心配はまったくなかったからである。「第一人者」ならば、ハンニバルを破って第二次ポエニ戦役を勝利に導いたスキピオ・アフリカヌスにも贈った先例があった。しかし、この隠れみのは見事に効果を発揮し、ローマ時代の史家たちは、まもなくアウグストゥスとなるオクタヴィアヌスに言及する際、「カエサル」か（彼はカエサルの養子だった）、でなければ「プリンチェプス」と書くのが常になる。彼自身、『業績録』の中で三度も、自身に言及する際に使っている。それゆえか現代の研究者でも、これよりはじまる時代を「帝政」とせず、「元首政」とする人もいるくらいだ。三十五歳当時のオクタヴィアヌスは、同時代のローマ人を欺（あざむ）いただけでなく、後代の生まじめな研究者までも欺いたということか。とはいえ、以上が、紀元前二七年の共和政復帰宣言時に、若き権力者が放棄し、又は放棄しなかったことの列記である。問題は、共和政への復帰を宣した三十五歳が、その代わりに何を得たか、である。

「アウグストゥス」

共和政への復帰が宣告された日から三日しか経ない一月十六日、元老院はオクタヴィアヌスに、「アウグストゥス」という尊称を贈ることを全会一致で決議した。オクタヴィアヌスは、『業績録』で、これについては次のように記している。

「共和政復帰を宣言した功績を謝して、元老院は以後わたしを、アウグストゥスと呼ぶことを決議し、次の名誉も与えることに決めた。

わたしの家の玄関の両脇（りょうわき）に立つ側柱は月桂樹で飾られ、扉の上には『市民冠』が置かれること。そして、このたびのわたしの決断と寛容と公正と慈愛を感謝する元老院とローマ市民が、そのことを彫らせた黄金の盾を元老院議場内に安置すること。

それ以後のわたしは、権威では他の人々の上にあったが、権力では、誰であれわたしの同僚であった者を越えることはなかった」

レトリックのかけらもみえない、単純素朴な文章である。嘘が書かれているわけではない。だが、最後の二行に限るにしても、真実が書かれているわけでもなかった。とはいえ彼としては、こう記すより他に書きようがなかったのではないか。なぜなら、このときの彼こそ、想像力では抜きんでていたカエサルでさえ賞めたであろうと思われる、一大政治ドラマの演出中であったのだから。

絶妙と言うしかないのは、第一に、共和政復帰宣言とアウグストゥスの尊称決議の間に、三日しか置かなかったことである。第二に、アウグストゥスという尊称を贈ろうと言った、提案者の人選だ。第三は、他の名ではなくアウグストゥスという、尊称の選定であった。

三日間とは、特権はすべて放棄し共和政体にもどすとした三十五歳の最高権力者の宣言に、喜ぶのならば充分な時間であったろう。だが、予想もしていなかったことゆえなおのこと、その真意にまで探りを入れるには不充分な時間である。三日間とは、早すぎもしなければ、遅すぎもしないのだった。

第二にあげた提案者の人選だが、人選と書くのは、このドラマは周到に練られた台本にそって展開したと確信するからだが、その提案者も偶然の結果ではなかったと思う。

常ならば九日目に召集されるはずがなぜか三日目に召集されたこのときの元老院会議で、オクタヴィアヌスに「アウグストゥス」という尊称を贈ることを提案したのは、元老院議員の中でも同僚たちから敬意を払われていた一人のポリオであった。

武将であると同時に教養人としても知られたアジニウス・ポリオという人物だが、紀元前七六年に生れ、前二七年一月の当時は四十八歳を迎えている。父親は地方の有力者にすぎなかったのに「名誉あるキャリア（クルスス・ホノルム）」と呼ばれた上級公職のコースを歩めたのは、カエサルに抜擢（ばってき）されたからだった。

紀元前四九年一月、二十六歳のポリオは、ルビコン渡河を決行したカエサルに従った、キケロの言う「ローマの若き過激派」の一人だった。カエサルが『内乱記』でまったくふれていないルビコン渡河の様子を、後世のわれわれでも知ることができるのは、ポリオが書き遺（のこ）してくれたからである。

同じ年の四月、シチリア掌握に派遣された三十五歳のクリオの副官として、彼もカエサルの戦略に従ってシチリア、次いで北アフリカの制覇に向う。

八月、壊滅的な敗北の責任をとって自死したクリオに代わり、わずかにしても敗残兵をまとめてシチリアまで連れ帰ったのは、二十七歳になったばかりのポリオだった。

カエサルはその彼を、自軍の軍団長に昇格させる。その後のポリオは、総司令官カエサルの下で働きつづけ、ポンペイウスと対決したドゥラキウム攻防戦、ファルサルスの会戦と参戦し、ポンペイウス派を破った北アフリカはタプソスの戦闘にも、ポンペイウスの息子を降したスペインはムンダの会戦にも参戦したのだった。

紀元前四四年、パルティア遠征に向う直前のカエサルによって、三十二歳になっていたポリオは、カエサルが東方に遠征中の西部スペイン担当の属州総督に任命される。カエサルの暗殺後もカエサルの考えていた人事はそのままで踏襲されたので、情勢不穏なローマを後にポリオも任地のスペインに出発した。

しかし、カエサルの遺言が公開されて以後のアントニウスとオクタヴィアヌスの間に生じた微妙な牽制状態下では、ポリオは明らかにアントニウス派に与して行動する。カエサルの下でともに軍務を重ねた同士という、体験を共有した者の間にしか生れない親近感ゆえであったのかもしれない。アントニウスとオクタヴィアヌスの連合軍がブルータスとカシウスの軍勢と対決したフィリッピの会戦でも、ポリオはアントニウス下の軍で参戦している。

その後のアントニウスにクレオパトラの影響が強くなり、ついにはオクタヴィアヌス率いるローマ軍と対戦するに及んで、さすがにポリオもアントニウスを見捨てた。しかし、アントニウスに弓引く気になれないという彼の気持を、オクタヴィアヌスも尊重する。アクティウムの海戦、そして翌年のアントニウスの自死の報も、ポリオはイタリアにいて知ったのである。

アントニウスに最後まで従ったローマ人ですら、許し公職への復帰を認めたオクタヴィアヌスだ。ポリオも、いったんははずれた公職のキャリアを再開できるはずだった。年齢も四十六歳、いまだに立派な現役だ。だが、ポリオは、カエサルが与えてくれた元老院の議席は捨てなかったが、他の公職はことごとく辞退して教養人の優雅な人生を選ぶ。しかし、これによって彼は、大勢におもねることに甘んじない潔白な人、という評判を得ることになった。

この人物に眼をつけたオクタヴィアヌスは、三十五歳とは思えないほどである。自派も明らかな人を提案者に選んでいたのであったら、元老院議員たちも疑いをもったであろうし、かといっていまだに秘(ひそ)かにブルータスを尊敬する共和政主義者に頼んだりしては、提案の行方そのものが不安になったろう。このようなことは、さっと提案しさっと決議されるようでないと、不成功に終りやすいのである。この状況下、ポリオほどの適材はいなかった。

そして、何よりもオクタヴィアヌスの政治感覚に眼を見張らされるのは、アウグストゥスという尊称の選択である。これも、贈られる側の彼が、周到に考えて選んだ名称であったと確信する。

ローマ人は、個人でも綽名で呼ぶのが好きな民族だった。キケロの親友であったアッティクスという人物も、あれは本名ではなく、彼がことのほか愛したギリシアはアッティカ地方にちなんだ、アッティカ人という意味の綽名である。この傾向が重要人物に向けられると、尊称ということになる。

ハンニバルに勝ったスキピオは、カルタゴが支配していたアフリカを降した者という意味で、アフリカヌスと呼ばれた。彼の属したコルネリウス一門は名門で、その中のスキピオ家だけでも多くの要人を輩出しているため、スキピオ・アフリカヌスとなれば他のスキピオたちと区別できるという利点も、この尊称にはあったのだ。

同じコルネリウス一門に属すスッラも、ポントス王ミトリダテスを制した業績をはじめとして、国家ローマに功績のあった人物である。尊称を与えられてよいくらいだが、マリウス派を降して絶対権力を手中にして以後の粛清が冷酷で悲惨なものであったので、尊称を贈るなど誰も考えなかった。虚栄心からは見事に自由であったスッラだが、何もないのは不満であったらしい。自分で自分に贈ったのである。それは、幸運に恵まれた人を意味する「フェリックス」だった。

しかし、この、味方や第三者にとっては痛快でも敵にまわそうものなら怖ろしきこと第一の人物の死後は、スッラ・フェリックス、とは誰も呼ばなくなった。スッラ自身は「幸運に恵まれた人」であったかもしれないが、そのスッラの反対派一掃作戦によって、殺され財産を没収され、子孫の末にいたるまで公職追放になった人々にとっては、少しも「フェリックス」ではなかったからである。

ポンペイウスも、尊称つきで呼ばれた一人だった。偉大なる人を意味する、「マーニュス」である。たしかに、スッラ門下の俊英として若くして活躍し、海賊一掃作戦、東地中海域の全面制覇を成し遂げた頃のポンペイウスは、武将として光り輝いていた。マーニュスとは、The Great のことで、アレクサンダー大王並みである。カエサルには、生前は綽名も尊称もなかった。「偉大なるポンペイウス（ポンペイウス・マーニュス）」に勝ったような人には、それを越える尊称が思いつかなかったのかもしれない。だが、カエサルはその死後に神格化され、「神君カエサル（ディヴス・カエサル）」が、彼の尊称になる。

このようなローマ人特有の慣習から、祖国に対して功績をあげた人に尊称を贈ることはけっして特殊な待遇ではなかったのだが、問題は、どういう尊称を贈るか、である。オクタヴィアヌスには、内乱を終らせたという厳とした功績があったが、実際の戦闘の指揮はアグリッパが取ったのだ。それゆえ、武張った尊称では似合わなかった。

そして、オクタヴィアヌス自身に、先人たちが得たような単なる尊称で、終らせる気持がまったくなかったのである。

古代のローマでは、アウグストゥス（Augustus）とは単に、神聖で崇敬されてしかるべきものや場所を意味する言葉でしかなく、武力や権力を想像させる意味はまったくなかった。ただし、神聖は意味しても、多神教の世界のことである。唯一無二という絶対的権威まではない。街の辻に立つ祠ですらも、神聖で崇敬さるべき存在であったのだから。

三十五歳のオクタヴィアヌスが自身のために選んだ尊称が、この「アウグストゥス」であった。彼はそれを、権力におもねることをしない潔白な人との世評が高いポリオに提案させることで、そしてそれを、共和政復活の興奮がいまだ醒めない三日後に決行することで、自分から言い出したことではなく、贈られたから受けるという形で獲得したのである。紀元前二七年一月十六日の会議に出席していた元老院議員の多くが、「アウグストゥス」という尊称ならば権力とは結びつかないと思いこんだからにちがいない。それは、この尊称とともに彼らが三十五歳の権力者に贈った、名誉の数々にもあらわれていた。私邸の玄関の両脇に立つ側柱を、月桂樹の枝と葉で飾ること。玄関の扉の上に、「市民冠」を置くこと。そして、唯一の絶対権力者になりながら共和政への復帰を宣言した功を謝して、そのことを刻んだ黄金の盾を元老院議場に安置すること。この中でも、「市民冠」と「盾」が深い意味をもっていた。

まずもって、「盾」は攻めよりも守りを意味する。そして、月桂樹で編まれ勝利者を意味した「月桂冠」に比べて、ローマで「市民冠」と呼ばれていたのは、同じく常緑樹でも樫（かし）の葉で編まれている。ローマ軍団では、味方の兵を救った功に報いて与えられる〝勲章〟であった。ローマの軍隊では、敵地の一番乗りよりもこの〝勲章〟のほうが、高位の褒賞（ほうしょう）とされていたところが興味深い。アウグストゥスが望んだのも、月桂冠よりも市民冠であったのだ。彼にしてみれば、戦闘不得手とて似合わない月桂冠よりも、内乱を収拾したことで国家ローマを自壊から救い出した功をあらわす、「市民冠」のイメージを強めたかったのであろう。

実際、数多く遺るアウグストゥスの像の中で、月桂冠をつけた肖像は極度に少ない。単行本第Ⅵ巻の表紙カバーに選んだのも、「市民冠」の像である。市民冠をつけた像のほうが圧倒的に多いのは、彼自身が月桂冠よりも市民冠を好んだからであると思う。

しかし、元老院が満場一致で贈ると決めた「アウグストゥス」という尊称だが、実は、元老院議員たちが思っていたほどは権力とは無縁でなかったのだ。

アウグストゥスと呼ばれるようになったことで彼が得たのは、権威であって権力ではない。だが、実際問題として、ただの威信ではなく、十四年にもわたる権力闘争を勝ち抜いた唯一人の最高権力者の威信となれば、発言一つとっても重みがちがってくるのは当然である。そのうえ、これまでに述べたように、彼が放棄した権利はそれをしたほうが利になったものにかぎられ、後述するが、軍事上の最高権力はまったく放棄していない。そのような人物に、権威までが加わったらどうなるか。議場での発言であれ政策であれ、彼の口から出ることすべてが、他の人とはちがう重みを、元老院議員から一般市民にまで感じさせたであろう。アウグストゥス自身は、

「それ以後のわたしは、権威(アウクトリタス)では他の人々の上にあったが、権力(ポテスタス)では、誰であれわたしの同僚であった者を越えることはなかった」と書いているが、理論上ではそうでも実際上はちがったのだ。執政官の同僚はアグリッパであることが多かったが、忠実な右腕でありつづけたアグリッパには、オクタヴィアヌスがアウグストゥスになることで得たたぐいの権威がなかった。英語のオーソリティの語源となる、「アウクトリタス」(auctōritas)を示す称号をもたなかったからである。だから、同僚を「越えることはなかった」どころではない。

私もまったく同感だが、研究者の一人は、この時期のアウグストゥスを評して次のように言う。

「合法であることに徹するとしたうえでの、アウグストゥスの卓越した手腕」

なぜ卓越した手腕かと言えば、一つ一つは完全に合法でありながら、それらをつなぎ合わせていくと、共和政下では非合法とするしかない、帝政につながっていくからである。

紀元前二七年は、当時の多くのローマ人にとっては、共和政への復帰を祝った年であった。だが、この同じ年が、後世から、と言ってもわずか半世紀程度の後世から見れば、帝政が本格的にはじまった年になるのである。

この年から、オクタヴィアヌスの正式名称は次のように変る。

「インペラトール・ユリウス・カエサル・アウグストゥス」

(Imperator Julius Caesar Augustus)

これが、共和政体への復帰を宣言した人の名であるのだから皮肉だ。

私の想像では、三十五歳のアウグストゥスは、このことの意味を完璧(かんぺき)に自覚していたと思う。なぜなら、彼がその確立を自らに課した新生ローマが、どのようなイメージで紹介されねばならないかにも、配慮を怠らなかったからである。怖ろしいまでに醒めた、三十五歳であった。

イメージ作戦

アウグストゥスは、まれなる美男であったという。武骨な容貌(ようぼう)だったアントニウスが、カエサルが後継者に指名したのは、十七歳当時のアウグストゥスが美少年であったからだ、と悪口を言ったほどである。だが、少年の頃の美貌は、三十代に入っても衰えを見せなかった。それどころか、十八歳で突然に舞台に引き出されてからの十四年間、はじめはブルータス相手に、次いではアントニウス相手に勝ち抜いた自信が生来の美貌を補強したのかと思うほどに、三十代に入ってからのほうが「男の美」をより強く感じさせる。

しかし、彼の美しさは、形の美だけではなかった。その顔は、話をしているときも話に耳をかたむけているときも、無限の静けさと晴れやかさが乱されることはなく、それが会う人に、容貌の美以上の美を印象づけたのである。

古代ローマの史家スヴェトニウスは、まれなる美男ではあったが洒落者（しゃれ）ではなかった、と書いている。生来の美男だったから、そのようなことに気を遣う必要がなかったのかもしれない。だが、彼自身は、三十代の後半だからこそ最高頂に達する、自らの美貌の効力を知っていた。

古代ローマの彫像の中で、時代を経ることでの風化や破損、キリスト教徒たちによる破壊を経てもなお最も多く遺っているのは、初代皇帝アウグストゥスの像である。ローマ帝国の全域にわたって出土している事実からも、数多く作られ帝国全域に配られたからで、最も多く遺ったのも確率の問題にちがいない。

しかし、その彫像のすべてが三十代のアウグストゥスを模したものである。一体だけ、これだけはもしかしたら後年の彼かと思わせる頭部があるが、これ以外のすべては、明らかに四十歳以前のアウグストゥスである。ところがこの男（ひと）は、七十七歳まで長生きしたのだ。老年のアウグストゥスはともかくとして、ローマ人が男の働き盛りと認じていた壮年期である四、五十代の彼を模した像は、あって当然なのにただの一体も存在しない。それでいて、アウグストゥスの壮年期は、公私ともに最も実り多い時期であった。誇らかに自らの円熟を形に遺したとて、そのほうが自然である。美貌にささえられた魅力は老いてもなお衰えなかった、とスヴェトニウスも書いているのだから。

私の想像するには、アウグストゥスはわざと、青年期とローマ人が考えていた三十代に、公的な自分のイメージを限定したのだと思う。彼の責務は、カエサルが遺した青写真を建造することにあった。公生活のスタートが遅かったこともあって、カエサルには五十代の彫像しか遺っていない。そのカエサルに対して存在を主張するには、若さを活用するのが最も効果的ではないか。それに、彼が確立しようとしていた新生ローマのイメージとしても、静かで晴れやかであるために攻撃的でなく、それでいて

いずれもアウグストゥス像
下段はアウレウス金貨(紀元前2年〜後1年頃)に刻まれたアウグストゥス

若さからくる活気も充分な三十代がふさわしい。アントニウスを降してローマ世界の最高権力者になったアウグストゥスが、その権力を使って確立しようとしていた新秩序の性格は、一見無関係に思える彫像や貨幣にも示されているように思う。

書き手から見たアウグストゥス

ローマ史におけるアウグストゥスの重要度は、カエサルに次いで、いや、ほとんどカエサルと同程度に高い。二十世紀には支配的な、学者たちそれぞれの専門分野の論考を集めた形式のローマ通史でも、カエサルに匹敵するページを与えられている。詳細な伝記が書かれる価値は、だから充分にある。また、魅力にも不足しない。

それなのに、伝記がいたって少ない。カエサルの十分の一もあるかどうか。学者の書く伝記でこの数である。作家が書いたものにいたっては、ないと言ってもよいのではないか。少なくとも、作家として名のある人は、誰も書いていない。それには理由があるにちがいないが、わたしの推測では、次の三つに分類できるかと思う。

第一に、アウグストゥスという男は、書き手を強烈に触発するタイプの人物ではなかったことである。重ねて言うが、魅力がないのではない。魅力は充分にある。ただその魅力が、作家の胸を熱くさせるたぐいの魅力ではなく、作家の頭脳を冴え返らせるたぐいの魅力なのだ。前者には感動し、後者には感心すると言い換えてもよい。時代の流れを変えた男と、その後に現われてそれを確実にした男のちがいであろうか。

しかし、文章を表現の手段に選んだ者ならば、胸を熱くさせるたぐいの魅力が、書き手にとっていかに重要であるかを知っている。強烈に触発されるからこそ、それまでの自分の資質を越える作品を書くことも可能になるのだから。

日本では、織田信長を書けば売れるというのが、出版界の定説になっている。日本の読者に、信長を好きな人が多いという理由もあろう。だが私は、日本の歴史上の人物の中ではとくに信長が、書き手を強烈に触発するからだと思っている。触発された書き手は、それまでの自作を越える作品を書く。もとより信長の好きな読者は、作品の出来もよいところから喜んでそれを読む。

第二の理由だが、カエサルに比べアウグストゥスは、実際上の問題として、実に書きにくいという事情も欠かせない。後年になって地位も安定したアウグストゥスは回想録を書きはじめたというが、それも途中で筆を投げてしまった。カエサルの文章力と比較されるのを嫌ったとする学者もいるが、私は、彼自身が自分の生涯の書きにくさにへきえきして、くずかごの中に放りこむほうを選んだのではないかと思う。

では、なぜ書きにくいのか。

それは、アウグストゥスが、順番に課題を片づけていくタイプではなかったからである。画家に例えれば、次のようになりはしないか。

カエサルは、広い壁面に、彼にしかできない〝速攻〟でフレスコ画を描いていく。出来あがったら直ちに、すぐ隣りの壁面に挑戦する。この調子で、感嘆して見ている人々の眼の前で次々とフレスコ画が完成していき、広いサロンはあざやかで見事なフレスコ画に囲まれるという具合だ。

アウグストゥスには、油絵を完成する時間的余裕があった。広いサロンには、大小とりまぜた数多くの画架が並び立つ。しかしアウグストゥスは、一つを完成して次に移るというやり方はしない。最初は、キャンバスの多くには、軽くデッサンだけが描かれる。だが、ときには一挙に完成させることもある。完成した油絵にして観衆に見せたほうがよい、つまりこの機に既成事実にして示しておいたほうがよい、と判断した場合である。共和政への復帰を宣言し、「アウグストゥス」の名を贈られた際の演出などはこれにあたる。他の場合は、完成には歳月をかける。良かれと思った時期に画架の前にもどってきては、ちょっと手を入れるという感じだ。そんなことをくり返していているから、関心を持続できないのが普通の観衆は飽きてくる。観衆の注意が緩慢になったときが、アウグストゥスにとってはかえって好機なのだ。油絵は、誰もが気づかないうちにすべてが完成している、ということになる。

そして、これが彼をあつかった伝記の少ない理由の第三と思うが、カエサルの時代に比べてアウグストゥスの時代は、史料の絶対的不足をあげねばならないだろう。まず、時代の主人公自身が書き遺してくれていない。アウグストゥスも書き遺しはしたのだが、『神君アウグストゥスの業績録』とはカタログにすぎなく、三十五項目にわたって彼が、同時代や後世の人々には知ってほしいと思ったことを列記したものにすぎない。嘘は書かれていないが、真実がすべて書かれているわけではない。

しかも、この『業績録』でさえも、何をいつやったかは明確でない。書いた当人からして、政治上の理由で明確にできなかったからである。そして、この時代を第三者の眼で描いたリヴィウスの『ローマ史』は、ローマの興隆とローマによる平和などにはまったく無関心だった、キリスト教の支配した中世を経るうちに消滅してしまった。

そのうえ、カエサル時代にはあった、ヒルティウスやサルスティウスのようなカエサルの部下たちの証言も、アウグストゥスの時代にはない。ましてや、政治大好き人間で、手紙を書きまくっては情報を集めるのに熱心だったキケロのような人物も、この時代にはいないのである。この時代に迫るには、後代になって書かれた史書、碑文、パピルス文書、貨幣等すべてにわたって史実を探り、それを丹念に集めて一つ一つはめこんで作る、モザイク製作に似た作業が求められる。それでもアウグストゥスが、一つ一つ仕事を片づけていくタイプであったならばまだしも編年式の叙述は可能なのだが、それがまったくそうでなかったのだから始末に困る。

ならば、ローマ史上の最重要人物として取りあげないわけにはいかないアウグストゥスを、学者たちはどう〝料理〟してきたのか。

総じて言えば、政策別にまとめて記述する方法をとった。政治改革、行政改革、貨幣改革、社会改革、軍制改革、というふうに。学者たちだって困惑したのである。軍制改革一つにしても、完成までには二十八年をかけているのである。

しかし、この方法では、アウグストゥスの成した業績の数々への知識を得ることはできても、彼の特質であり、七十七歳になるまで長生きしたがゆえに可能であった、アウグストゥスの深謀遠慮までは感得できない。言い換えれば、彼という人間に迫るには不適当な方法ということになる。学問はそれでよいのかもしれないが、学者ではない私には、それで済ますわけにはいかない。私の関心は、何が成されたか、よりも、どういう人間によって、何がどのように成されたか、であるのだから。
とはいえ私とて、新史料を発見したわけでもないのだから、学者たちの困惑とは無縁ではない。それでやむをえず、可能なかぎり編年式の叙述法はとりながら、業績のほうも適宜と見た時点でまとめて叙述することにしたのである。それゆえ、デッサンのみが描かれた時点での叙述であったり、油絵として完成した時点で再びとりあげることになったりするかもしれない。

この叙述方式を採用する以上、どうしてもこの時点で述べておかねばならないことがまだ三つある。なぜなら、紀元前二七年当時ではすでに、デッサンぐらいは描かれていたにちがいないと思われることだからだ。それは、第一に中央政府に関する行政上の改革、第二に属州統治の基本方針の確立、そして第三には軍制の改革であった。三つとも、『業績録』中では一言もふれられていない。一言の言及もないということは、アウグストゥスが、言及しないほうがよいと判断したからである。なぜなら三つともが、共和政体への復帰を宣言した人の行ったことにしては、言葉と行為が矛盾する事柄になるからであった。

「内閣」の創設

六百人に減らすことでの元老院の再編成を決行した直後と思うが、三十六歳になるやならずのアウグストゥスは、現代で言う内閣の創設に着手していた。この「コンシリウム・プリンチェピウム」（直訳すれば第一人者の補佐機関）の構成だが、プリンチェプス（第一人者）であるアウグストゥスを中心に、執政官二人、そして、法務官（プラエトル）、会計検査官（クワエストル）、財務官（ケンソル）、按察官（エディリス）という、現代の省庁に該当する公職の代表が各〝省〟から一人ずつ、それに、元老院議員の中から抽選で選ばれた十五人が加わって構成される。そして、英語の council の語源にもなるこの「コンシリウム」で成される決定は、元老院での決議がそのまま政策化されることで「元老院体制」の強力な武器になっていた、「元老院勧告」と同価値をもつとも決まった。

これは一見、大変に民主的な改革に思える。「第一人者」のアウグストゥスが独断で決めることなく、元老院議員十五人までふくめた複数の構成員が、合議で決定するように見えるからだ。この合議制という外観と、抽選であろうが十五人もの元老院議員が行政の最高決定機関に加わるという一事が、元老院をして、「内閣」の決議は元老院での決議と同価値をもつとしたことにも反撥(はんぱつ)しなかった理由であった。
これが決まった時期、「第一人者」であるアウグストゥスは執政官を兼ねている。もう一人の執政官はアグリッパ。この二人に、アウグストゥス派と思ってよい各〝省〟からの代表一人を加えても計六票。抽選なのだから、元老院からの十五票を「第一人者(プリンチェプス)」とて自由にするわけにはいかない。元老院側にすれば、うまくいけば十五票対六票の力関係になる。

しかし、実際上はそうはいかないことは、まもなく誰の眼にも明らかになったことだろう。なぜなら、権威を示すにすぎない「第一人者(プリンチェプス)」や「アウグストゥス」の称号には、権力を象徴する拒否権（ヴェトー）は認められていないが、権力職である執政官には、拒否権は認められていたからである。そして、「内閣」を創設した当時のアウグストゥスは、執政官でもあった。たとえ元老院からの十五人が彼の考えとはちがう政策を提出しようと、拒否権を発動すればつぶせる。二人が定員の執政官だから拒否権も二人がもつことになるが、同僚執政官はアグリッパで、この側近中の側近からの反対は気遣う必要すらなかった。事実上、「コンシリウム」での決議は、アウグストゥスの意のままであったのだ。

だが、「内閣」の決議は、元老院での決議と同等の価値をもつのであって、それ以上の価値をもつとはなっていない。そのようなことを決めては元老院の反撥を買うからだが、アウグストゥスは、次のやり方でこの難問もくぐり抜けた。

元老院の定例会議を、従来より減らし、月の最初の日と十五日の二回にし、そのうえ年に二ヵ月の休会期間まで置くと決めたのである。一方、「内閣」のほうは年中無休。必要とあれば召集されるのだから、政策決定機関としての重要度に差が出てくるのも当然だ。決議の同価値は、こうして、事実上の非同価値になったのである。

属州統治の基本方針

総督を派遣しての属州統治権は、長く元老院が独占してきた権益であった。スッラによる国政改革で、属州総督になるには執政官（コンスル）か法務官（プラエトル）の経験者でなければならないと定められたので、執政官も法務官も元老院議員であることが前提条件である以上、元老院に属す人々にのみ許された公職ということになる。また、共和政下のローマでは、軍団指揮権は属州総督にしか与えられなかったから、属州総督を独占するということは、軍事力を独占するということであった。

このシステムを破壊したのが、カエサルである。彼とて属州総督の資格が元老院議員である条件は尊重したが、それはローマの元老院に国家の指導層をプールする役割もあったからである。だが、総督の任命権は元老院から取りあげたのだった。

紀元前二七年のオクタヴィアヌスによる共和政復帰宣言は、当然のごとく、元老院に属州総督任命権を返還することまでふくまれねばならなかったはずである。ローマ型の共和政とは、一人の君主による統治ではなく、六百人の元老院議員による少数指導制であったからだ。ところが、若き絶対権力者による共和政復帰宣言に感激してしまった元老院議員たちは、その彼にアウグストゥスという尊称を贈っただけでなく、平和が確立するまでは属州の軍事も担当してほしい、とまで依頼したのだった。

カエサルに執拗（しつよう）に反対しつづけた、キケロや小カトーやブルータスはもはやいない。元老院も、共和政治がどのようなものであるかを実地に知っていた世代から、理論的にしか知らない世代に移っていた。蛮族と四六時中向い合う不便な兵営ぐらしよりも、気候温暖で快適な本国や、属州の中でも生活水準も高い地方での生活のほうが、よほど魅力的であったのだろう。それを許す経済力も、元老院階級に属す人ならばもっていた。ローマの上流階級が早くも堕落したのかと、早合点しないでいただきたい。楽な人生を好む人はいつの世にもいる。それにこの時期は、詩人たちの作品にも見られるように、ローマ人は、内乱の終了による平和を満喫していた。

アウグストゥスは、この空気を活用する。ただし、元老院の体面は保つというやり方で活用したのであった。

国家ローマの全域は、四種に分類された。

第一に、アルプスからメッシーナ海峡までの本国イタリアがくる。

第二は、元老院任命の総督が統治する属州（プロヴィンチア）。歴史上では、「元老院属州」と呼ばれる。

第三は、アウグストゥスが直接に統治する属州。「皇帝属州」が史的名称だ。

第四は、特殊な国情から、征服者アウグストゥスの個人所領とするしかなかったエジプト。

これらに、同盟国と呼ばれる、ローマの覇権を認め外政と軍事はローマに追随する国々が加わって、地中海を囲むローマ帝国圏が構成されるのだった。

では、㈡と㈢の区別は、何によったのか。

平凡な才能しかもたない権力者ならば、経済的に有利で統治も楽な地域を、担当するほうを選んだにちがいない。だが、三十五歳の権力者は、これとは逆のことをした。

属州になって久しく、ゆえにローマ化(ローマ人自身は文明化と言った)の歴史も長かったり、または国家ローマの安全保障上、前線地域ではないと判断し、ゆえに軍団駐屯(ちゆうとん)の必要はないとした地方を、元老院担当の属州としたのである。その「元老院属州」を列記すれば、次のようになる。

一、シチリア島
二、サルデーニャとコルシカの両島
三、スペインはイベリア半島南部のベティカ地方
四、南仏からスイスにまで及ぶ、ガリア・ナルボネンシス属州
五、ギリシア北半分にあたる、マケドニア属州
六、ギリシア南半分の、アカイア属州
七、小アジア西部の、アジア属州
八、小アジア北部の、ビティニア属州
そして九と十は、クレタとキプロスの両島
十一、エジプトの西隣りの、キレナイカ地方
十二、旧カルタゴの領土だった、アフリカ属州
十三、旧ヌミディアの領土の、ヌミディア属州

文官の統治地域、と言い換えてもよいこれらの属州の統治には、従来どおりに元老院が任命した執政官や法務官経験者が、これも従来どおりの一年の任期で赴任するのである。元老院議員にとっては、法務官その他の政府の役職を務めるだけでなく属州総督を経験してこそ、「名誉あるキャリア」と呼ばれた公職をまっとうできると考えられていたので、それを、問題の少ない属州で経験できるのだから大歓迎だった。給与だが、名誉あるキャリアを重ねる人の責務ゆえ、従来どおりに無報酬である。経費だけは、担当先の属州からあがる属州税の中から差し引くことが認められていた。

一方、アウグストゥスが自ら担当する、帝政も明確になった時代のローマ人が「皇帝属州」と呼ぶことになる地方は、次のとおりである。

一、イベリア半島西部の、ルジタニア属州

二、イベリア半島東部の、ヒスパニア・タラコネンシス属州

イベリア半島最北部の制覇が、この時期はまだ完了していなかった事情による。

三、南仏以外のガリア全土、これは後に三つの属州に分けられる。

もはや説明の要もないと思うが、この地域は、ライン河防衛線の前線であると同時に後背地でもあった。

四、イリリクム、ダルマティア地方
ドナウ河の防衛線確保は、カエサルの暗殺で中断していた。ゆえにこの地方が、ドナウ確保までは防衛の前線地域だった。
五、小アジア南東部の、キリキア属州
六、シリア属州
㈤、㈥とも、仮想敵国ナンバー・ワンのパルティア王国と対する、前線地域を構成する。

これらの「皇帝(インペラトール)」による直轄(ちょっかつ)属州は、アウグストゥスが任命する将軍たちによって統治されるのだ。辺境と呼んでもよい地方の防衛が主な任務になる事情から、軍団の指揮もまかされる彼らは武官であり、ゆえに給与も保証される公職と認められ、任期も、状況に応じてアウグストゥスが決めるのだった。これら武官たちを統括するアウグストゥスの法的立場だが、武官たちには軍団指揮権を与えねばならない以上、その上をゆく権限さえも認められたものでなければ、帝国全体の防衛システムも機能しなくなる。それでアウグストゥスには、「インペリウム・プロコンスラーレ・マイウス」、意訳すれば「全軍最高司令権」が公的に認められたのであった。
元老院は、こうして、軍事権までもアウグストゥスに与えてしまったことになる。

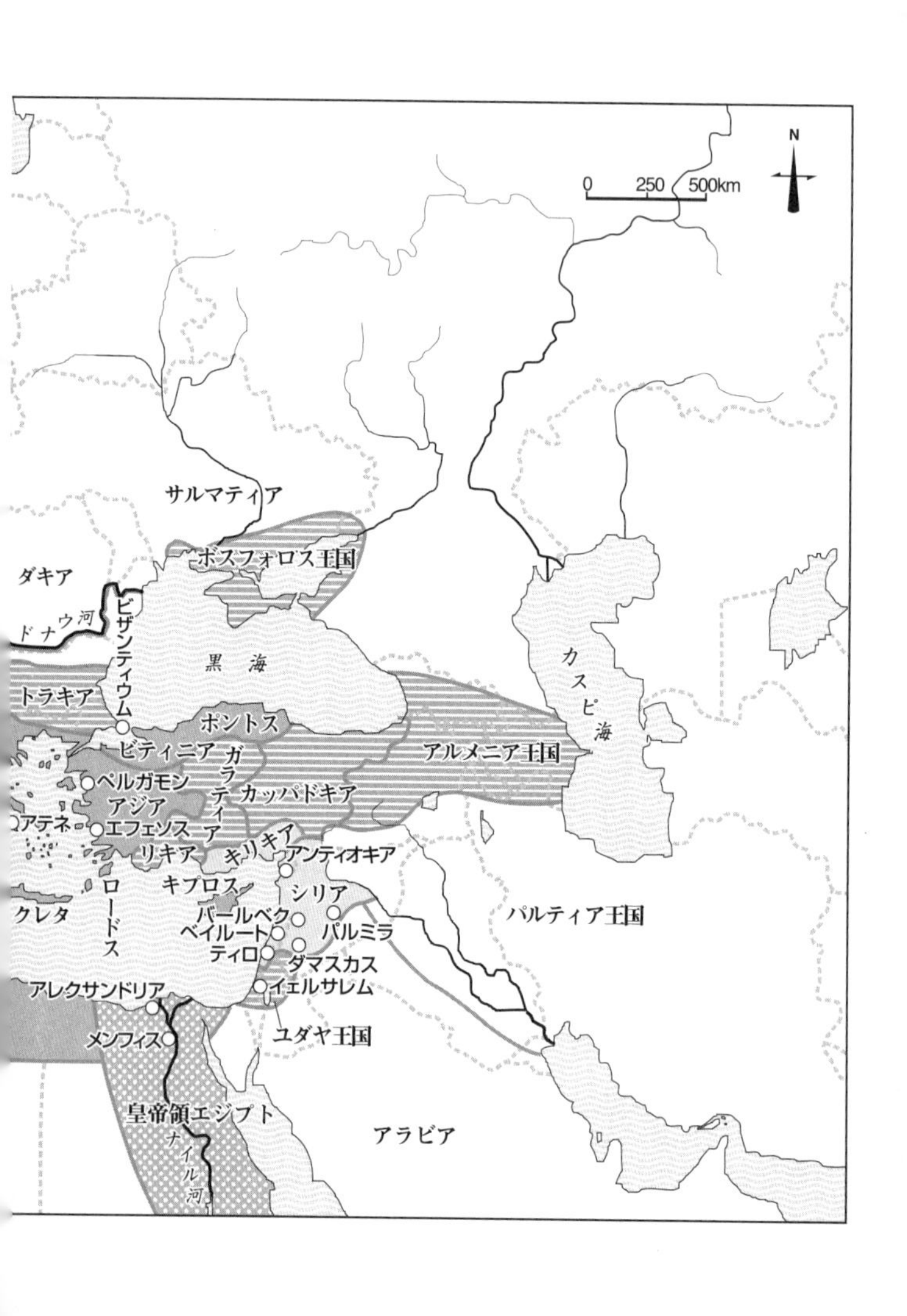
N
0
250
500km
サルマティア
ボスフォロス王国
ダキア
ドナウ河
ビザンティウム
黒海
トラキア
ポントス
ビティニア
ガラティア
アルメニア王国
カスピ海
ペルガモン
アジア
カッパドキア
アテネ
エフェソス
リキア
キリキア
アンティオキア
キプロス
ロードス
シリア
クレタ
バールベク
ベイルート
パルミラ
パルティア王国
ティロ
ダマスカス
アレクサンドリア
イエルサレム
メンフィス
ユダヤ王国
皇帝領エジプト
ナイル河
アラビア

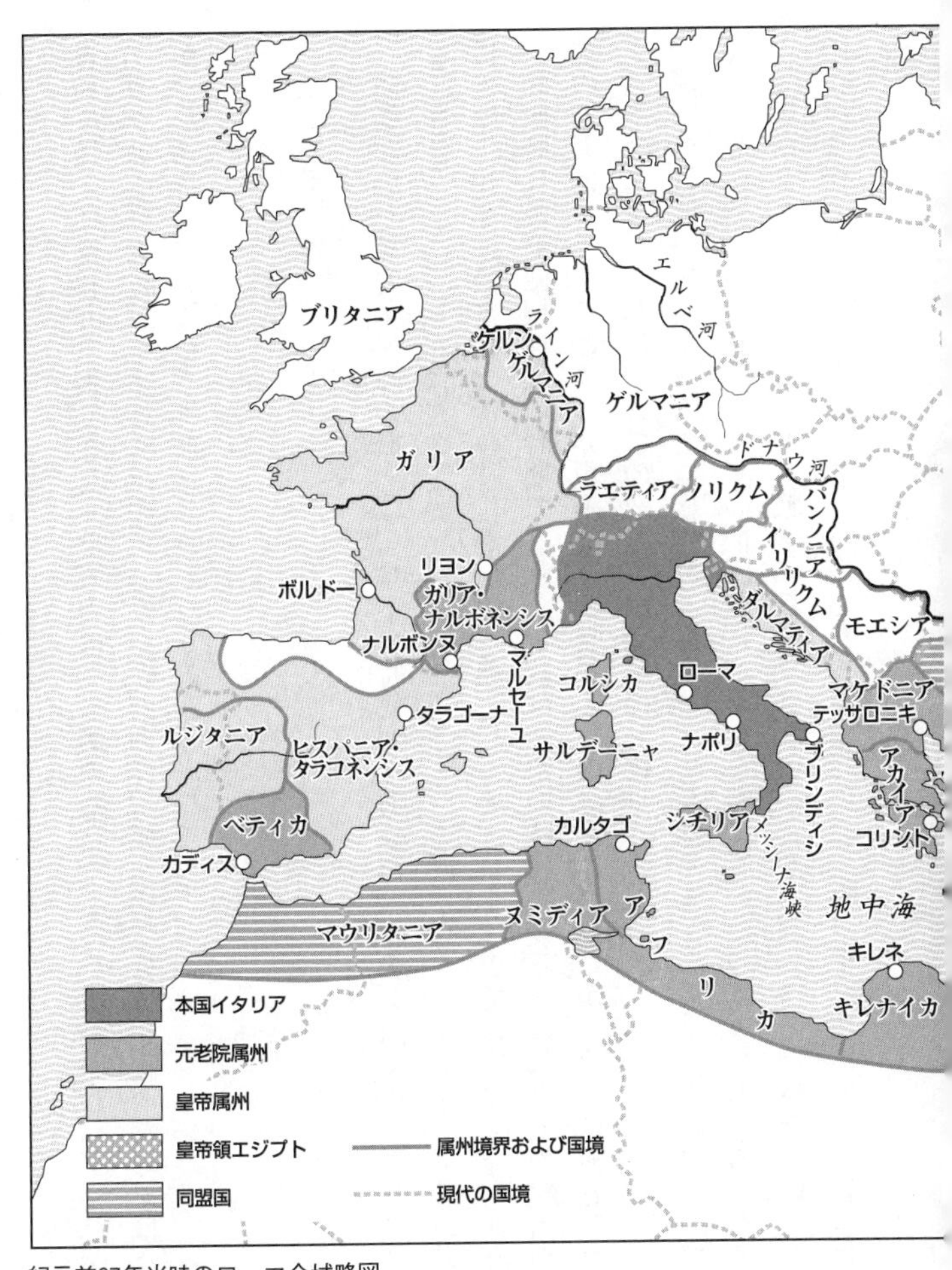

紀元前27年当時のローマ全域略図

責務を嫌えば権利も主張できなくなるのは、当然の帰結であったにかかわらず。だが、アウグストゥスは、軍事権を手中にしたいがために、属州の二分轄を行ったのではなかった。時代がそれを、要求していたのである。

「安全保障」

防衛ないしは安全保障の概念は、ローマ時代からあった。ラテン語ではセクリタス（securitas）と言い、後には英語のセキュリティーの語源になる。そして、共和政時代のほうが非拡張主義で帝政時代が拡張主義と思うと、ローマ史では完全にまちがう。共和政時代こそ覇権拡大の時期であり、帝政は防衛の時代に変る。これ以上の統治地域の拡大はローマにとって非現実的、と判断したのはカエサルだが、その後継者アウグストゥスも、これについての認識では完全に一致していた。

国家の目標が攻略から防衛に転じたとなると、防衛線の確保が最重要課題になってくる。カエサルにすればガリアの征服さえ、それを頭に置いての軍事行動であったのだ。アウグストゥスの時代も、戦争に無縁ではない。しかし、一つの例外を除いてそのすべてが、安全保障上の必要から成された軍事行為だった。そして、同じく安全保障上の必要から、アウグストゥスは、ローマ史上はじめての常設軍の創設者になるのである。

共和政時代のローマには、最低限の防衛力とされた四個軍団を越える規模の、常設の軍事力がなかった。必要に迫られるたびに、徴兵した兵で軍団を編成していたからである。徴兵が容易であるように、十七歳以上の成年男子数を調べるのが主目的にしても、国勢調査がローマで生れたのも、この必要からであった。兵役が志願制に変って後も、必要に応じて軍を編成するやり方は変らなかった。ローマ軍がしばしば敵の先制攻撃への対応に遅れがちであったのも、常設軍がなかったからである。

共和政時代も末期になってからは、カエサル軍団のように事実上の常設軍ができるが、それでも戦役終了までの誓約関係で、国と兵士の誓約関係というよりも、最高司令官と兵士の誓約関係の色が濃かった。

必要に応じて軍を編成するやり方でも長く不都合でなかったのは、共和政時代のローマは覇権の拡張の時期であったからだ。攻撃するのならば、目的が決まった段階で軍団を編成し、それを充分に訓練してから出撃しても遅くない。いや、これをやっている間にそうと知った敵が観念し、軍を進めただけで敵の恭順をかち得るという利点さえあった。

しかし、最大の目標が防衛に変れば、従来のやり方では不都合になる。敵はいつ襲撃してくるかわからない。ゆえにそれへの対応手段は常に準備しておかねばならない。アウグストゥスは、防衛を目標とするからこそ常設軍事力が不可欠であることを理解し、それを実践したのである。

この軍制改革が、軍備縮小と並行して行われた点も興味深い。常設軍ともなれば、可能なかぎり少ない経費で最大の効果をあげる組織に作らなければ、国の経済力がそれに耐えきれなくなる。耐えきれなければ早晩、属州税の値上げをせざるをえなくなる。だが、値上げしようものなら属州民の不満が爆発し、帝国外の敵への防衛どころか、帝国内の安全も保障できなくなるのだった。

この辺りまでが、紀元前二七年の秋までに、三十五歳当時のアウグストゥスが着手した政策であるように思われる。彼には、カエサルが遺した青写真を現実化する任務が課されていた。しかし、それをたちまち建設しはじめたのでは、独裁への疑惑を招きかねない。この時期は、まずは基盤づくりのみ、と考えたのではないか。とはいえ、建造物の命は基盤づくりにかかっている。その意味では、基石は正しい位置に置かれたといえよう。彼はしかし、その上に石をつみ重ねるのに、しばらくの時間を置くことにした。人々の眼に明快に映って評判も高まること、つまり『業績録』に明記できる事業を先行させることにしたのだ。理由はあった。イベリア半島の完全制覇、である。

西方の再編成

紀元前二七年の秋、三十六歳を迎えたばかりのアウグストゥスは、ローマを後にした。アウレリア街道を通って南仏に入った彼には、同年輩の〝右腕〟アグリッパが同行する。他に二人の少年の顔もあった。十六歳のマルケルスと、十五歳のティベリウスである。アウグストゥスは、姉オクタヴィアの息子のマルケルスと、妻リヴィアの連れ子のティベリウスの二人に、戦場での初体験をさせるつもりでいたのだ。結婚以来十年が過ぎているのに、この結婚でも彼は男子に恵まれなかった。

その年の冬は、ガリア・ナルボネンシス属州の首都、ナルボンヌで過ごした。過ごしたといっても、遊んだり休養で過ぎたのではない。カエサルも一つの目的のみで一つのことをしなかったが、この点ではアウグストゥスも同じだった。イベリア半島の完全制覇を目標にかかげはしても、このときの出陣は、ローマ帝国の西半分の再編成が主たる目標であったからだ。

現スペイン北部の山岳民族の制圧は、軍事行動ゆえにアグリッパに一任される。そうは言ってもアウグストゥスは最高司令官だから、南仏に居つづけるわけにはいかない。それで、翌年の春からはスペインのタラゴーナに移動した。バルセロナからは五十キロほど南に位置する、地中海に面した港町である。スペイン東部の属州名をヒスパニア・タラコネンシスとしたくらいだから、ラテン語ではタラッコとなるこの都市の重要度は、古代ではバルセロナの比ではなかった。属州の州都でもあった。

このタラゴーナに移動しても、戦場からは四百キロ以上も離れている。いかにアグリッパの武将としての能力に信を置けても、イベリア半島の完全制覇とはいえ、最高司令官の臨席を必要としない程度の軍事行動であったのだ。アグリッパが海陸双方からの攻勢に専念している間、最高司令官はタラゴーナに居つづける。二度の戦闘で北スペインの山岳民族を徹底制圧するのには二年も要しなかったのだが、アウグストゥスがローマに凱旋(がいせん)したのは、紀元前二三年になってからだった。この三年半もの期間中、アウグストゥスは何をしていたのか。

まず第一に、紀元前二七年の冬に早くも着手した、ガリア問題の処理があった。

南仏を除いたガリア全域は、ローマが内乱に苦しんでいた十四年間、ローマによる覇権をくつがえすには絶好のチャンスであったにかかわらず、ローマの属州でありつづけた一つだった。ギリシアのように戦場にされ、ためにローマの軍事力が集中していたわけでもない。他の属州のように、征服されてからの歴史が長かったのでもなかった。つい先年、カエサルによって征服されたばかりなのである。そして、カエサル暗殺からの十四年間、いや、内乱終了後も他にやることがあったアウグストゥスは、この紀元前二七年まで放置していたのだから十七年間になるが、これほどの期間中、ガリアではローマ軍の兵士の姿はまったく見られなかったのである。それなのにローマは、ガリア人の反乱を気遣う必要がなかった。カエサルの戦後処理が巧妙であったからだが、ではそれはどのようなものであったのか。

カエサルは、征服された民族が反旗をひるがえすのは、民衆が自主的に蜂起(ほうき)するからではなく、民族の支配層が民衆を扇動するからであることを知っていた。そして、支配層が不満をもつのは、他国民に征服された結果、自分たちの権威と権力が失われるからであるのも知っていた。

カエサルは、ガリア全土のすべての部族を温存する。根絶された部族は、一つとしてなかった。部族の温存ということは、部族の根拠地の温存であり、部族の指導層の温存である。宗教も言語も生活習慣もすべて、征服以前のままでつづく。

しかし、それだけでは、百近い部族間の抗争が絶え間なく、劣勢になった部族がライン河の東岸に住むゲルマン民族に助けを求めるという、ガリアの不安定の要因をとりのぞくことにはならなかった。それでカエサルは、四つの有力な部族に、全ガリア部族間でも指導的な地位を与えた。ヘドゥイ、オーヴェルニュ、セクアニ、リンゴネスの四部族である。これら四部族の長に、それぞれの傘下の中小部族をまとめていく役割を与えたのだ。カエサルを一度は追いつめたヴェルチンジェトリックスの属すオーヴェルニュ族でさえも受けたこの待遇くらい、カエサルの合理性と政治感覚の冴えを示すものはない。

そして、四部族の長には、これまた温存されたガリア全体の部族長会議、一年に一度開かれるこの会議の運営の責任も課された。四部族が勝手に独立して、覇を競い合うことにならないための策であった。

こうしてカエサルは、ガリアの指導層の掌握に成功する。部族長の権力と権威の存続を認め、ローマ市民権を与え、有力な部族長には元老院の議席まで与え、ユリウスという彼の家門名も大盤振舞い、子弟たちはローマに〝フルブライト留学〟である。カエサル暗殺後でさえも、いや帝政が確立した後でもしばしばユリウスというセカンド・ネームをもつガリア人が史料に出てくるのには笑ってしまうが、家門名を与えるということは、古代ローマでは「クリエンテス」関係を結んだということであり、日本でいう、「のれん分け」に似た行為なのであった。

しかし、カエサルのやったことはこれだけではなかった。民衆は自主的に蜂起することはなくても、不満の噴出ならば自主的だ。そしてそれは、何よりもまず経済的な理由が火点(ひっ)け役になるのであった。

共和政時代のローマでは、属州民には「十分の一税」とも呼ばれた直接税が課されるのが決まりだった。収入の十分の一を、安全保障費の感じでローマに納めるのである。属州民には兵役の義務はなく、軍団兵はローマ市民権所有者にかぎられていたからだ。

カエサルは、収入の十分の一とて年によって税収が上下するこの属州税を、一定額に決めてしまう。ガリア全体で、年に四千万セステルティウスと決めたのだ。この額が当時どれほどの購買力をもっていたかについては、第Ⅳ巻の四〇九頁（文庫版第10巻一六二頁）で述べたことだが、低目の査定額であったと断じてよいと思う。

また、共和政時代のローマでの属州税の徴収システムの特色は、その徴収を国家が行うのではなく、「プブリカヌス」と呼ばれた私営の徴収システムに一任していたことだったが、カエサルはこれも撤廃する。ガリアでの属州税徴収に、プブリカヌスはもはや関係していない。では誰が徴収していたのか。史料がないゆえ推測するしかないのだが、カエサルのやり方から見て、これもまた各部族の長に一任していたのではなかったかと思う。部族長が集めた税を、四大部族長が取りしきるガリア部族長会議でまとめ、それをカエサルに送っていたのではないだろうか。ただし、カエサルという男は、私腹を肥やすことには無関心だったが、自分の金（かね）と他人の金を区別しないという、厳格な公私分離主義者から見れば困る人でもあった。ガリアからの属州税も、ポンペイウス派との抗争中は、そのための戦費に消えてしまった可能性大である。

税金の行方は別にして、ガリア人の立場に立ってみれば、カエサルによる制覇後のガリアはどうであったろう。

まず、各部族間の争いは過去の話になった。そして、ゲルマン民族の侵攻も、部族間の争いがなくなったことに加え、カエサルが二度もライン河を越えてやっつけてくれたおかげで、怖れる必要もなくなっている。その証拠に、カエサルに制覇されて以後のガリア民族は、狩猟民族から農耕民族に変ったと、アウグストゥス時代の地理学者ストラボンも書いている。

略奪の心配もなく農耕に専念できるように変っても、各部族内部の構成は以前と同じだった。部族の指導層の権威権力は、内政の自治から税の徴収に至るまで、公認の状態だ。そして何よりも、税金が安かった。本国イタリアでも五パーセント課されていた関税ですら、ガリアに対しては、カエサルは二・五パーセントに押さえていた。当時のガリアは、経済的にも後進国であったからである。

これが、カエサル暗殺後のローマが内乱に没頭していた時期ですら、ガリアが平穏でありつづけた理由である。研究者の何人かがあげる、カエサル個人への心酔だけで、十七年間ももつはずはない。

そのガリアに、ローマが安定をとりもどした紀元前三〇年からは逆に不穏な空気が漂いはじめたのである。アウグストゥスが送った解放奴隷が、その原因だった。

アウグストゥスの腹心だったその解放奴隷は、ガリアにも律義に、他の属州同様の「十分の一税」を課そうとしたのだ。これにガリアの部族長たちが、反撥したのだった。アウグストゥスは、自ら乗り出す必要を知る。紀元前二七年から前二六年にかけてのナルボンヌ滞在は、この問題の解決に費やされた。

紀元前二八年に行われた国勢調査の結果を示されては、ガリアの部族長たちも、四千万セステルティウスでは安すぎたことを認めざるをえなかったのかもしれない。属州税はガリアでも、他同様の「十分の一税」に改められた。

しかし、増税は減税と組み合わせてこそ実現も容易になることを、アウグストゥスは知っていたようである。ガリアでは、二・五パーセントであった関税は、一・五パーセントに引き下げられた。そして、これもまた史料がないゆえ推測の域を出ないのだが、徴収権は以前同様、しばらくの間にしても部族長に一任されたのではないかと思う。共和政時代のプブリカヌス（入札制度による徴税請負い人）のシステムが復活した史実はなく、かといって、地方税務署的な組織が設置されるのは、十年以上も過ぎた紀元前一五年前後になってからなのだ。「慎重」こそ、アウグストゥスの生涯を律した性格でもあった。

税制改正に次いで、アウグストゥスは、ガリア全土の再編成にも着手していた。北はドーヴァー海峡と北海、西に大西洋、南はピレネー山脈に地中海、東はライン河とアルプス山脈に囲まれるガリア全体は、大きく五地方に分けられた。

一、ガリア・ナルボネンシスと呼ばれる南仏属州。

属州の州都はナルボ（現ナルボンヌ）。主要都市には、トローザ（現トゥールーズ）、マッシリア（現マルセーユ）、軍港としてカエサルが開発した、現カンヌとサントロペの間に位置するフォールム・ユーリ（現フレジュス）、そして北上してクラーロ（現グルノーブル）にローヌ河沿いのヴァレンティア（現ヴァランス）がある。

ローマの属州としては、すでに二百年もの歴史をもつこの地方のローマ化は非常に進んでおり、ガリアでもこの南仏だけは、元老院担当の属州になっていた。属州税は収入の一〇パーセント、関税もローマ本国並みの五パーセント。

カエサルが征服したのはこれ以外のガリアだが、それをアウグストゥスはさらに四分したのである。

二、属州アクィターニア。

カエサルは、ピレネー山脈からガロンヌ河までをアクィターニア地方としたが、アウグストゥスはこれを広げる。ピレネー山脈から北にロアール河までの広い地方を、アクィターニア（現アキテーヌ）としたのだ。その理由はおそらく、次のことにあるのではないかと思う。いまだアントニウスとの抗争に決着がついていない時期にアクィターニア地方にちょっとした蜂起があり、アグリッパが簡単に制圧したのだが、そのようなことが二度と起らないようにと、ガロンヌ河以北の強力な部族であるオーヴェルニュやビトゥリジ族と混合する策を採ったのではないか。この属州の州都と決めたのはブルディガラ（現ボルドー）。ガロンヌ河の河口に位置し、ガリアを大西洋側からコントロールするにも絶好の位置にあった。

この属州内の主要都市としては、州都ボルドーに次いで、リモヌム（現ポアティエ）、アバリクム（現ブールジュ）、アウグストリトゥム（現リモージュ）等がある。

三、属州ガリア・ルグドゥネンシス。

ガリアの中央を占めるこの属州には、ロアール河からセーヌ河流域まで、そして南は、ソーヌとローヌの両河の合流地に位置するリヨンまでふくまれる。州都は、ルグドゥヌム（現リヨン）。ガリア・ルグドゥネンシスとは、リヨン属州という意味でもある。主要都市は、カエサロドゥヌム（現トゥール）、スウィンディヌム（現ル・マン）、ロトマグス（現ルーアン）、ルテティア（現パリ）、アジェディンクム（現サンス）、アウグストドゥヌム（現オータン）等々。

とくにローマ人が、その地勢上の有利に着目して開発したリヨンは、この属州の州都にとどまらず、全ガリアの要（かなめ）の地位を占めるようになっていく。この地方の強力部

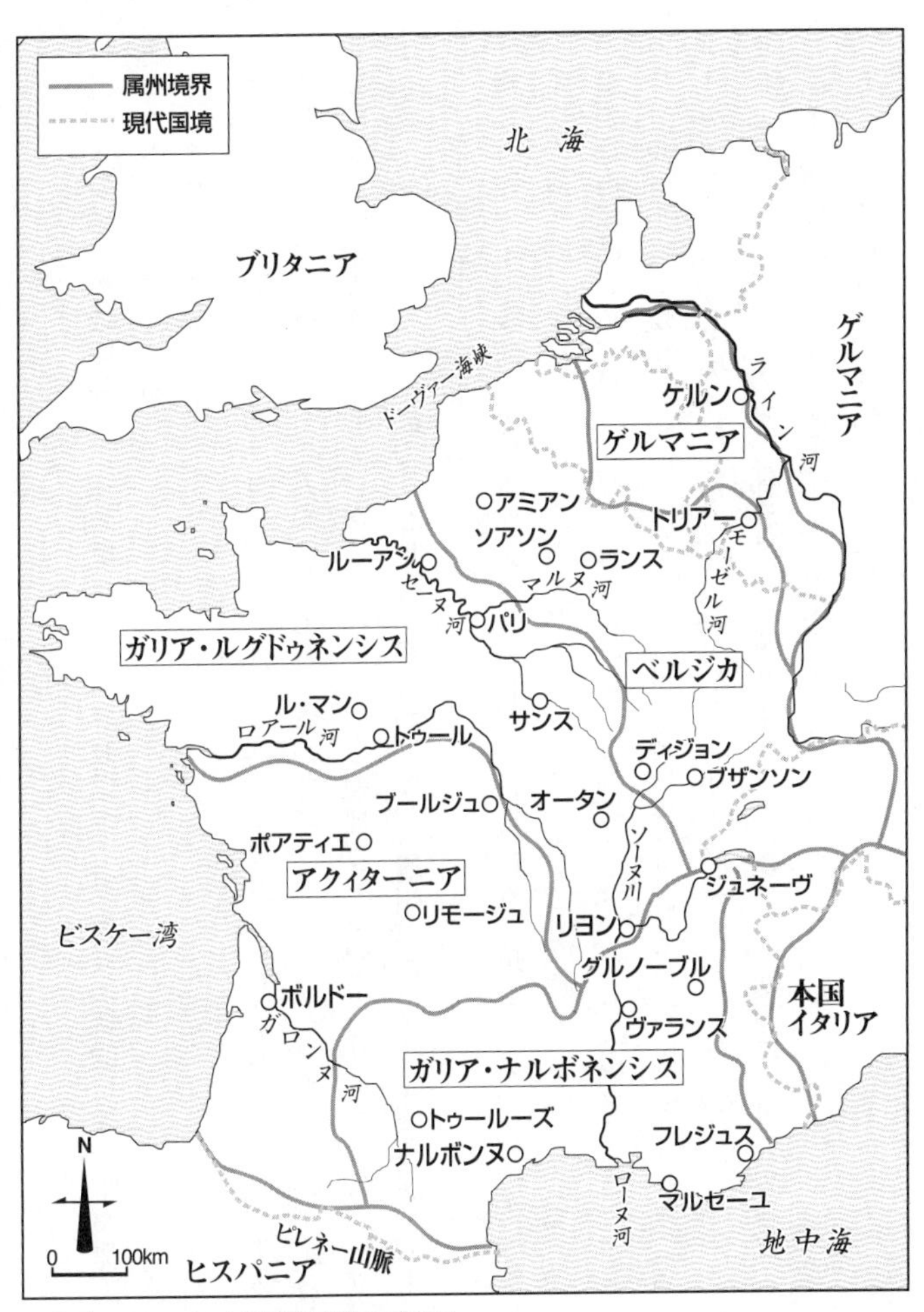

アウグストゥスによる再編成後のガリア

族は、アレシアの攻防戦では一時離れたが、それ以前も以後も伝統的に親ローマ派であったヘドゥイ族である。

四、属州ベルジカ。

『ガリア戦記』の冒頭でカエサルが、ラインを渡ってガリアに移住して定着した人々、つまりベルガエ（ベルギー）人の住む地方と書いたのは、セーヌとマルヌの両河から北に広がる一帯であった。アウグストゥスは、この地方とその南のリンゴネス、セクアニ、トレヴェリの三部族の住む地方とを合わせて、「属州ベルジカ」、即ち（すなわ）ちベルギー属州の名で編成したのである。

州都は、モーゼル河岸のアウグスタ・トレヴェロールム（現トリアー）。現代ではドイツの最西端になり、それゆえルクセンブルグのすぐ東に位置する。

主要都市には、サマロブリバ（現アミアン）、ノヴィオドゥヌム（現ソアソン）、ドゥロコルトルム（現ランス）、そして後に再び編成変えされるまでは、ディビオ（現ディジョン）、ベゾンティオ（現ブザンソン）、ジェナヴァ（現ジュネーヴ）までふくまれていた。この地方の強力部族は、カエサルの軍門に下ってからは一貫して親ローマ派をつづけたレミ族である。

五、そして最後は、属州ゲルマニア。

ゲルマニアと言っても、ライン河の西岸一帯を指す。ラインの東に住むゲルマン民族からガリアを守る前線であるだけに、この属州の州都も、ラインを前にしたコローニア・アグリッパエ（現ケルン）。ローマ人の植民した町を意味するコローニアを冠したことが示すように、現代ドイツの重要都市ケルンも、ローマの軍団基地にその誕生を負っている。

州都ケルンの位置と役割からも明らかだが、この属州の編成の主目的は軍事にあった。属州内の主要都市はほぼすべて、ローマ軍の基地に起源をもつ。そのうえ、ほとんどすべてが、ライン河、つまり最前線に位置している。

カエサルが線を引き、アウグストゥスが土台を築きはじめ、その後百年以上にわたって代々の皇帝によって完成していくライン防衛線だが、その堅持が最大の目的であったことからも、軍団基地建設にも地政上の配慮がなされ、それゆえに二千年後の現代ですら機能する諸都市の誕生になったのであった。

アウグストゥスによるガリア全土の再編成は、多くの点でわれわれの好奇心を刺激する。まず第一に、各属州の境界線の引き方。第二に、各属州の州都の位置。そして最後は、駐留軍はどこに置いたのか、である。

アウグストゥスは、南仏属州を除いたガリア全域を、分割すれば支配しやすいという考えだけで、機械的に四分したのではなかった。カエサルが、数十にものぼるガリアの全部族を四大部族の管轄(かんかつ)下に分けたように、アウグストゥスも、純粋に軍事属州であるゲルマニア属州を除く三属州を、その地方の有力部族の管轄下に置くやり方をとったのだと思う。アクィターニア属州には、オーヴェルニュ族、ガリア・ルグドゥネンシス属州にはヘドゥイ族、ベルジカ属州にはレミ族という具合だ。もちろん、アウグストゥス任命の長官(レガートゥス)がローマから派遣されて、属州の統治にあたる。だが、〝現地法人〟の管理職が現地の有力者ならば、運営もよほど円滑にいくのではないか。その証拠にアウグストゥスは、アウグストゥス直轄属州とて軍団を置くのが当然のガリアの三属州に、一個軍団すら置いていない。ガリアに配置された五個軍団はすべて、ラインの防衛線に張りつけという感じで、属州ゲルマニアに集中しているのである。それ以外のガリアには、武装したローマ兵の姿すら見られなかったことになる。

また、各属州の州都の位置も興味深い。普通ならば、敗者の〝家〟をとりあげて、〝属州総督府〟にするところである。このほうが簡単だからだ。しかしアウグストゥスは、その選択の基準を、地勢上の理由のみに置いた。ボルドー、リヨン、そしてトリアーも、交通の要所に位置している。いや、交通網を整備するのはローマ人だから、交通の要所になりうる地勢、と言い換えるべきだろう。

そして、有力部族であるレミ族の根拠地のランスもヘドゥイ族のオータンも、ローマのガリア支配の基地にされていない。それでいて交通網は、つまりローマ人による〝インフラ整備〟は、これらの町々も除外しなかった。除外しないどころか、ガリアの原住民が固まって住むこれらの町々を通っての、ネットワークづくりが成されていく。絶対優勢な軍事力をもっていてさえ、ローマ人は、この種の配慮を忘れなかったのである。いまだローマがイタリア半島の覇権者でしかなかった時代に敷設されたアッピア街道が、覇権下の諸部族の本拠地を通って敷設されたように。そしてそれによって、勝者と敗者の関係が運命共同体に変っていったように。

ガリアもヒスパニアも、一地方に「皇帝属州」と「元老院属州」が同居していることでは共通している。アグリッパがスペイン北西部の制圧行に専念している間、アウグストゥスは、はじめはナルボンヌ、次いではタラゴーナに居坐って、この両地方の統治システムの構築に専念していた。二種の属州が同居しているゆえ、この時期に成された統治システムは、ローマの支配下にある全地方のモデルになっていく。

アウグストゥスは、統一と分離、中央と地方、中央集権と地方分権という、もともとからして矛盾する概念の並立、ないし同居に適したシステムの構築の成否こそ、異人種、異宗教、異文化が混じり合う、ローマ帝国存続の鍵であることを認識していた。一見、元老院に一任した感じの「元老院属州」でも、共和政時代のやり方をそのままでは継続していない。

元老院が選んだ執政官や法務官経験者が派遣されてきて、一年の任期で統治するのが「元老院属州」である。この種の属州しか存在しなかった共和政時代には、すべてが属州総督の管轄下にあった。軍事も司法も行政も、そして属州税の徴税権も、プブリカヌスと呼ばれた私営の徴収請負い業者を通じて、属州総督が采配をふるっていたのだった。

口では共和政体への復帰を唱えながら、行動ではこれとは反対の方向に進みつつあったアウグストゥスである。それに彼の頭の中は、統一と分離の並立で占められていた。「元老院属州」もそのすべてを元老院に一任していては、単なる分権になってしまう。

ローマ化の進んだ地方ゆえ軍団駐屯の必要なしとして、「元老院属州」に人を送る元老院から軍事権を取りあげたことはすでに述べた。アウグストゥスの考えでは、軍事こそ分権にしてはならないことの第一であったのだ。

加えてアウグストゥスは、司法の半ばも、集権化する。属州に住んでも、ローマ市民権を所有する者には控訴権が認められていたし、属州民にも属州総督を告訴する権利が認められていたが、それに最終的な裁可をくだすのは、ローマにいる「第一人者」アウグストゥスの任務になった。属州総督は地方裁判所の裁判長、アウグストゥスは最高裁判所の裁判長と考えてもよいと思う。

そのうえ、属州税はもちろんのこと、関税等の間接税の徴収権も、属州総督の手から離れる。アウグストゥスが、これだけは「皇帝属州」も「元老院属州」も区別なく、この部門のみの担当官の配属を決めたからである。

〝国税庁〟創設

「プロクラトール・インペリアーレ」と呼ばれることになるこの官職の新設こそ、アウグストゥスによる属州統治システムの眼目としてもよい改革だった。この「皇帝財務官」は、アウグストゥスじきじきの任命。出身階級は、ローマ社会では元老院階級の次に位置する「騎士階級（エクイタス）」。私が常々「経済人」と意訳した人々だ。言い換えれば、これまでの経験からも経済に明るい人たちである。共和政時代にもこの人々が、「プブリカヌス」の名で入札制度の私営徴税請負い人であったのだが、アウグストゥスはそれを、自分が任命権をもつ国家公務員にしたのである。給料は払われるが、徴税額の一〇パーセントであった彼らへの手数料は節約になる。そして何よりも、帝国の統治にとって有効だった。

「皇帝財務官（プロクラトール・インペリアーレ）」システムを導入したアウグストゥスの狙（ねら）いは、次の三点にあったと思われる。

第一は、属州での徴税の公正化である。

共和政時代は、元老院が派遣する属州総督に、「プブリカヌス」を通してにしろ、徴税権と予算権の二つともが集中していた。これによって、属州総督が任期中に私腹を肥やすのは、共和政時代の属州統治のガンでもあったのだ。そのガンを取り除くためにも、権力の分離は不可欠と考えたのであった。

「皇帝財務官」の設置によって、属州での徴税事務は彼に属し、属州総督は、税を使

アウグストゥスによる属州統治システム

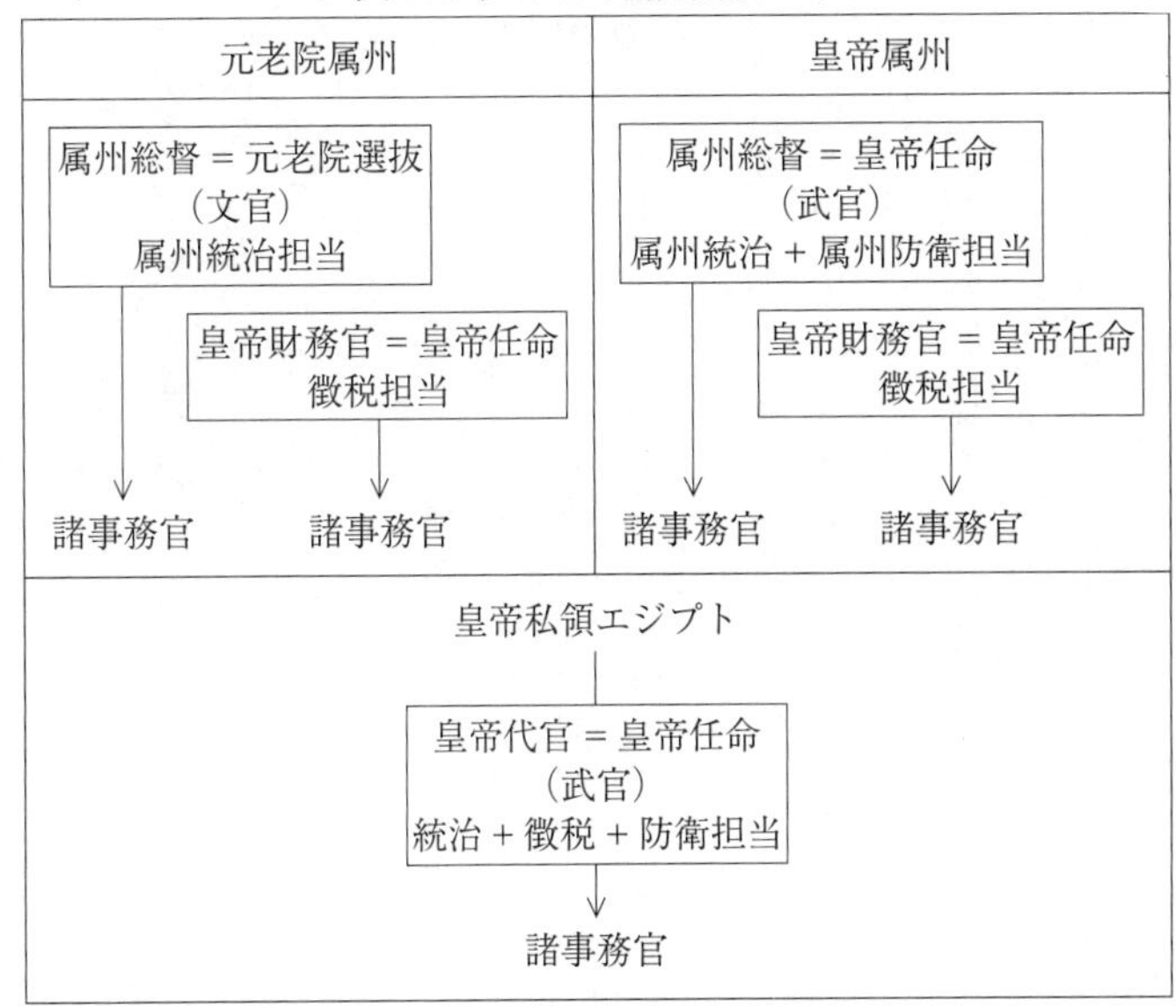

うことのみに専念すればよいように改められたのである。

第二は、帝国統治というグランド・デザインにそって、税金を配分できるという利点にあった。

属州によって、経済力が異なる。経済力に差があれば、収入の十分の一が属州税である以上、各属州の税収には差が出てくる。

ところが、最も出費を要するのは防衛部門であるのに、防衛費をつぎこまねばならない地方は、経済力のあるシリア属州を除けば、他はすべて後進地帯になる。後進地帯ゆえ、必要とする防衛費用に充分な税収は期待できない。これが現実では、先進の属州からあがる税も、後進の属州にまわさねば、帝国全体の防衛は不可能ということになる。

この課題を、アウグストゥスは、「皇帝財務官」システムによる税制の統一で、解決しようと考えたのであった。

第三は、統治の継続性の確立、である。皇帝財務官の任期もアウグストゥスが決めるので、十年以上も勤務する者もまれではなくなった。ということは、「元老院属州」の総督の一年しかない任期が統治の継続性にとってマイナスであった点も、これで改善の方向に向うことを意味したのである。

「皇帝財務官」たちが集めた税金は、経費が引かれた後はローマの国庫に納められる。だが、出ていくほうも大きかった。まず、安全保障費としての軍事費。そして、属州もふくめた帝国全土の〝インフラ〟整備にかかる費用。アウグストゥス時代は、属州の街道敷設が飛躍的に進んだ時期でもある。こちらはアグリッパ主導で、例えばリヨンからは四街道が発するまでになった。一つは、西のアクィターニアへ。もう一つは、北西の大西洋に向って。三番目は、北東のライン河に向って走る。四番目は南に、ロ

ーヌ河ぞいにマルセーユに達する。スペインでも、街道網の敷設ブームが起きたこと
では同じだった。
　街道敷設の工事は軍団兵が担当したのだから、ローマでの軍事費と社会資本充実費
の分離はむずかしい。しかし、セキュリティーの語源となる「セクリタス」の意味は
「安全保障」であるのだから、右の二つは分離しなければならないともかぎらないの
である。
　そして、一つの目的のために完璧(かんぺき)につくられたことは他の目的のためにも役立つと
いう真理を、ローマ街道くらい如実(にょじつ)に示してくれるものもない。
　軍用が目的の街道網は、その効率性の徹底的な追求ゆえに、民間の経済振興にもつ
ながっていく。一つだけ例をあげれば、重い攻城器の運搬も容易なようにと、ローマ
街道は地勢が許すかぎり、いや許さなければ、トンネルを通し沼地を埋め崖(がけ)を切り崩
して地勢を変え、可能なかぎり平坦(へいたん)に可能なかぎり直線に敷設されていくが、これは
以前に比べれば、より多量の荷を荷車に積めるということである。そして、物の交流
が盛んになれば、人の交流も盛んになる。人の交流が盛んになれば、頭の中身と胸の
想いも交流しないではいられない。こうして、ローマ文明を支柱にした一大文明圏の
形成がはじまったのであった。

アウグストゥスは、スペインでもガリア同様、カエサルが編成した属州構成に手を加えている。イベリア半島は東部と西部に二分し、前者を「近スペイン属州」、後者を「遠スペイン属州」となっていたのを、南部の「属州ベティカ」、西部の「属州ルジタニア」、そして、東部スペインに制覇完了した北西スペインまでふくめたイベリア半島の半ば以上の「属州タラコネンシス」に三分割した。

前にも述べたように、「属州ベティカ」は元老院属州。ローマ化の歴史長く、軍団の駐留必要なし、とされたからだが、「属州タラコネンシス」もまたローマ化の歴史ならば長い。だが、この属州の統治は、制圧成ったばかりの北西スペインへの眼配りが求められる。それゆえ、「属州ルジタニア」とともに「属州タラコネンシス」も、アウグストゥス直轄の皇帝属州になったのだった。実際、スペイン駐留と決まった四個軍団は、制覇成ったばかりの北西部を囲いこむ感じで、皇帝属州の「タラコネンシス」と「ルジタニア」に配置される。

この三属州とも、アウグストゥスの定めた州都と主要都市は次のとおりだ。

属州タラコネンシス——州都はタラッコ（現タラゴーナ）。主要都市としては、南に下ってカルタゴノヴァ（現カルタヘーナ）、北上して、トレトゥム（現トレド）、カ

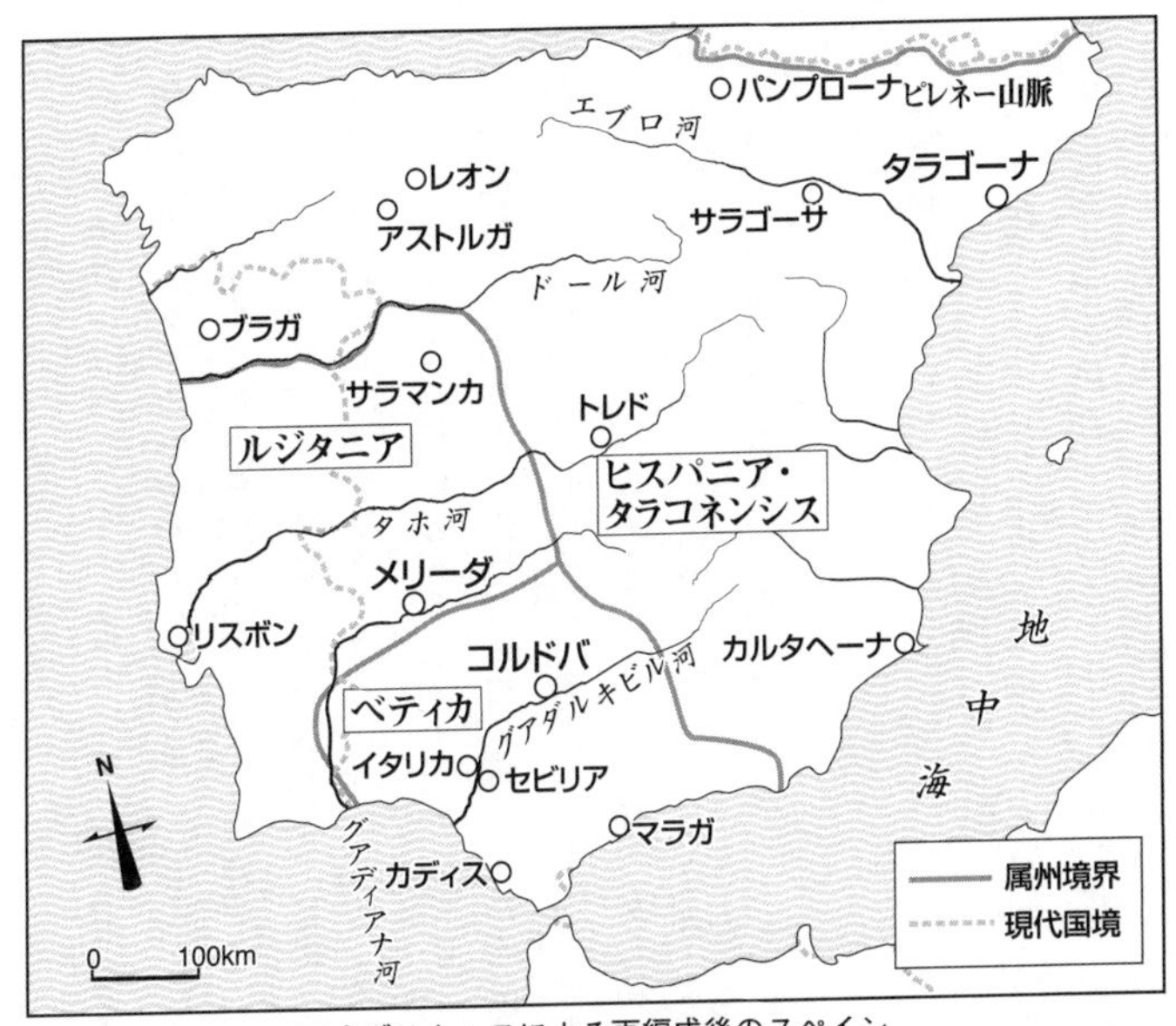

アウグストゥスによる再編成後のスペイン

エサル建設のカエサル・アウグスタ（現サラゴーサ）、ポンペイウス建設のポンパエロ（現パンプローナ）、北西部のアストリカ・アウグスタ（現アストルガ）にレジオ（現レオン）、大西洋岸のブラカラ・アウグスタ（現ブラガ）。

属州ルジタニア——州都は、エメリータ・アウグスタ（現メリーダ）。主要都市になるのは、北のサルマンティカ（現サラマンカ）に西のオリシポ（現リスボン）等々。

属州ベティカ——元老院担当のこの属州の州都は、コルドゥバ（現コルドバ）。そこから南にマラカ（現マラガ）、ポエニ戦役時代からローマの植民都市であった歴史をもつイタリカ、そのすぐ南にヒスパリス（現セビリア）、そしてジブラルタル海峡近くのガデス（現カディス）。

アウグストゥスは、サラゴーサとメリーダにはとくに、多数のベテラン兵を入植させての植民都市（コローニア）を建設した。スペインの原住民にはガリアの原住民とちがい、指導格になりうる有力な部族が存在しなかったからである。ケース・バイ・ケースは、ローマ人の伝統でもあった。入植したローマ市民は、原住民と遊離した存在にはならなかった。ローマ軍では、兵役中は独身が課される。満期退役時には、四十歳前後になっている。その年輩の独身男が入植して現地の女と結婚するのが、ローマの植民のやり方だ。カエサルがはじめた属州規模での民族融合は、このようにして、帝政時代に入ってもつづけられていくのである。

「幸運のアラビア」

ガリア全土とイベリア半島の再編成が完成しつつあったこの時期、紀元前二六年から前二四年までの時期、アウグストゥスは一度だけ、防衛上の必要に迫られたわけでもない戦争をしている。戦争というより遠征で、それも遠いアラビア半島で成されたことだった。

その前哨戦はエチオピア遠征だったのだが、こちらのほうは皇帝領となったエジプトの南の防衛線確立という理由がある。エジプト駐留軍はナイルに沿って南下し、現代ではスーダン領になるナパタまで進攻した。この結果エチオピア人との講和も成り、南の防衛線は確立したのである。

ところがアウグストゥスは、この時期、「アラビア・フェリックス」(幸運のアラビア)と呼ばれていた現イエーメンへの進攻まで試みていたのだ。試みた、と書くのは、派遣されたのが二個軍団にも満たない軍勢であったからだが、防衛線の確立を第一目的にしていた彼の外政観からすれば、珍しい例外になった。

「幸運のアラビア」とは、そこに住むアラビア人が自称したからではなく、地中海世界の住人であるギリシア人やローマ人がつけた名であるらしい。香料や没薬、真珠や宝石、そしてインド経由で運ばれてくる支那の絹などの高級品商売で財を築く幸運に恵まれたアラビア、という意味である。

なぜアウグストゥスが、遠いアラビア半島の端の「幸運のアラビア」にまで眼を向けたかの理由だが、生涯を通じてこの人は、重税を課さないでの財源確保に心をくだいた人でもある。紅海の入口を押さえれば、東方からの物産貿易であがる利益を独占できると考えたのだ。ナルボンヌに滞在中の彼の許に、遠くインドから王の使節が訪れたと、彼自身が『業績録』中に書いている。

ただし、幸運のアラビアへの遠征は、『業績録』に記されたような、「抵抗した者は殺し、戦闘では勝ち、多くの町を占領した」というようには終らなかった。紅海を横断してアラビア半島に上陸したまではよかったが、サベイ族の本拠地マリバへ行くまでの砂漠の行軍は困難をきわめ、なにしろ三百キロをこなすのに六ヵ月もかかってしまったからだが、マリバの城壁を前にしても攻撃する余力がなく、引き返すしかなかったという遠征であったのだ。征服行ならば失敗である。しかし、ローマは、紅海の北三分の一を覇権下に組み入れることには成功する。そして、アラビア側のレウケコメ、エジプト側のベレニスとナイル河沿いのコプトに税関を置いた。本国イタリアでは五パーセント、後進地方のガリアでは一・五パーセントの関税が、東方からの高級品に対しては、二五パーセントも課されることになったのである。

ガリアに滞在していたのならば必ずや視界に入っていなければならないブリタニア

だが、アウグストゥスは、「父」カエサルのはじめたブリタニア制覇を継ぐ意志を明らかにしていない。やらない、と言ったのでもない。しかし、ガリアは平穏。それゆえ、ガリアの不満分子がブリタニアに逃げ、ブリタニアの部族を扇動してガリアを脅かすという事態も起こっていない。ブリタニア人のほうも、ドーヴァー海峡に近いケント地方に住む二部族のみにしても、アウグストゥスに使節を送ってきて恭順を誓っている。ブリタニア制覇はさし迫った課題ではないと、アウグストゥスは判断したのだろう。解決を迫られなければ行動を起さないのは、世論が熟すのを待つタイプの政治家であるアウグストゥスの常のやり方でもあった。

また、軍事力を手中にしていながら彼は、属州化の必要がなければ同盟関係持続のほうを常に選ぶ、最高権力者でもあった。スペインとは、古代では「ヘラクレスの二本の柱」と呼ばれたジブラルタル海峡をはさんで相対する、北西アフリカのマウリタニア王国対策でもそれが見られる。とはいえ、外政面でのこの方針は、アウグストゥスの独創ではまったくなく、スッラもポンペイウスもカエサルも踏襲してきた、ローマ伝統の外政面での政策ではあったのだが。

王系の絶えたマウリタニア王国の王位に、アウグストゥスは、タプソスの会戦でカエサルに敗れ自死して果てたヌミディア王の遺子をすえた。王となってユバ二世を名乗るこの王子は、五歳の年に、ローマで挙行されたカエサルの凱旋式に、敗者の代表として参加させられた後、勝者カエサルの私邸にホームステイする人質になっていた。カエサルの暗殺後は、ホームステイ先がオクタヴィアヌス時代のアウグストゥス邸に変る。ローマの上流家庭の子弟同様の教育を受けた王子を、アウグストゥスは、クレオパトラとアントニウスの間に生れたエジプト王女と結婚させたのだった。このクレオパトラ・セレネスも、父母の自死後は、アウグストゥスの姉でアントニウスの先妻であったオクタヴィアの家に引きとられ、異母の兄弟や姉妹たちとともに育っていたのだ。

この結婚と、それによるマウリタニア王家再興は成功だった。若い王もその妃も教養が高く、内政も巧み、外政も、ローマの信頼できる同盟国でありつづける。とくに、母親からは野心でなく利発さのほうを受けついだ王妃の周辺には、一種の文化サロンが形成され、ローマから訪れる人も表敬訪問を欠かさないと言われるほどであった。北西アフリカも、こうして、アウグストゥスの考える「パクス・ロマーナ」の一翼を、まことに平和的にになうことになったのである。

紀元前二四年末、ローマ世界の西半分の再編成を終えたアウグストゥスは、首都ローマに帰還した。四十歳になっていた。

三年ぶりに「第一人者（プリンチェプス）」を迎えた首都の市民たちは、華麗な凱旋式が行われるであろうと信じて疑わなかった。軍事行動は一箇所のみであろうと、スペインの完全制覇は成しとげられたのである。戦闘による勝利にしか関心を示さない一般庶民は別にしても、元老院議員ならば再編成の重要さは理解する。それを終えて帰国したアウグストゥスに、元老院は、凱旋式挙行の権利を早くも認め通知していた。

しかし、アウグストゥスのほうがそれを受けなかった。なぜ辞退したのかについては、例によって彼は語らない。『業績録』を読む人が、何と謙虚な人だろう、と感心してくれるのを期待するかのようである。戦闘はアグリッパがやったのだし、アウグストゥスは戦場からは四百キロも離れた地で「外政」に専念していたのだから、四頭の白馬を御すような派手なことは控えたい気持であったのかもしれない。だが、単にやらないのでは、一般庶民ががっかりする。凱旋将軍が配る〝おみやげ〟は、庶民たちの楽しみであったからだ。

それでアウグストゥスは、凱旋式は挙げなくても、〝おみやげ〟だけは配ったのである。家長一人につき、四百セステルティウス。気前が良いのが評判だった、カエサルの配った〝おみやげ〟と同額だった。これで、謙虚であるだけでなく気前もよい人、という評判が確立した。ただし、この「謙虚な人」は、卓越した策士でもあった。

「護民官特権」

紀元前二三年、四十歳のアウグストゥスは、またもや人々が予想もしていなかったことを宣言し、そして早くもそれを実行に移したのである。

それまで連続して就任してきた執政官の地位から、同僚アグリッパともども辞任し、以後の執政官職は、共和政時代にもどって毎年の市民集会の投票で自由に選出する、と宣言したのだった。執政官の連続就任が、ローマ史上に例がなかったわけではない。マリウス以降、例をあげればキリがないほどだ。しかし、一年任期の執政官こそ、共和政体の象徴であったことも事実だった。元老院主導によるローマ型の共和政を最上の政体と信じていた人々は、またもや感激の涙である。そして、感激した共和政信仰者たちは、深く考えることもなく、アウグストゥスの〝謙虚な〟申し出の採決に賛成票を投じていた。

それは、護民官特権を、一年期限で授与されたし、というものである。護民官特権とは、護民官に与えられる諸権利を指す。

一、肉体の不可侵権
二、平民たちの代表者として、彼らの権利を守る地位
三、平民集会の召集権
四、政策立案の権利
五、拒否権（ＶＥＴＯ（ヴェトー））

拒否権は、危機管理システムと考えられていた独裁官に対しては発動できないが、それ以外の公的機関や公的決定のすべてに対して発動を認められている。つまり、元老院決議も執政官の下す決定も、護民官の拒否権発動で白紙にもどすこともできるのだった。アウグストゥスは、カエサルの養子になったことで貴族階級に属したことになり、平民階級出身者にしか資格のない、護民官就任が不可能になっている。それで、護民官になるのではなく、護民官の特権を与えられたし、が彼の申し出であったのだ。

毎年の執政官選挙が再開され、これで共和政体復帰も本物だと感激し、自分たちにも執政官になれる機会がもどってきたと喜んだ元老院議員たちは、従来同様の一年任期ということで賛成したのである。だが、一年任期には、異議がなければ更新される、となっていた。誰が、最高権力者の更新要請に異議を唱えられよう。これはもう、実質上の終身制である。そして、この護民官特権は、終身独裁官になったカエサルの改正によって、以前のように十人でなく、一人だけに与えられると変っている。カエサルにすれば、拒否権乱発でローマの国政が動きのとれなくなることしばしばであった従来の弊害の防止策だったが、アウグストゥスもその考えを踏襲したのである。これで、紀元前二三年のこの年から、国家ローマではただ一人の人間が拒否権を持ちつづけるという、暗殺前のカエサル・システムが復活したことになった。

アウグストゥスは、カエサルのように、ローマの政体では異分子というしかない「終身独裁官」に就任することをしないで、実質上の終身の独裁官になったことになる。いつもの彼の、所有しつづける意味も効力もなくなった権利を返還し、それで喜ばせておいて、代わりに一見意味も効力もあまりなさそうな、しかし将来への布石としては大変に重要な権利を取得する、というやり方である。一つ一つならば完璧に合法でありながら、それらを連結していくと、少数指導制のローマ型共和政体下では非合法とするしかない、帝政に変るというやり方であったのだ。それをこの時点でまとめれば、次のようになる。

カエサル——これは十七歳でしかなかったオクタヴィアヌスをカエサルが養子に、つまり自分の後継者に遺言したから得た家名だが、帝政時代が進むにつれて、「皇帝」の代名詞になっていく。二千年後のカイザー（独）、ツァーリ（露）とも、この意味の継承にすぎない。

「第一人者」——元老院がこの称号を贈った段階では、ローマ市民中の第一人者、にすぎなかったのに、帝政のはじまりを世間の眼から隠したいアウグストゥスにとっては、実に便利な名称になった。彼自らしばしば使っているのが、その何よりの証拠であろう。

アウグストゥス——権力臭のまったくない尊称にすぎなかったが、それだけに権力抗争からは超越した立場を意味する。生前のカエサルは、体制（テーゼ）を倒しながらも、体制に反対することでしか力を獲得できないという性格をもつ反体制（アンチテーゼ）の不毛を知っていたからこそ、新秩序（ジンテーゼ）の建設を目指したのである。この政治を継承したアウグストゥスにとって、体制・反体制からの超越を意味する「アウグストゥス」が、実に便利で有効な尊称になったのも当然だった。

インペラトール――これもまた、亡父カエサルに認められていた使用権を自分にも認めてほしい、というアウグストゥスの要請に許可を与えた元老院にしてみれば、勝戦の将に兵士たちが贈る呼び名にすぎなかったのである。だが、この名称の使用権が、彼に認められていたローマ全軍の最高司令権を意味する「インペリウム・プロコンスラーレ・マイウス」と連結すると、「インペラトール」とは、ローマ全軍の終身最高司令官ということになるのだった。

加えて、アウグストゥスは、この「全軍最高司令権」が、伝統的に軍事力を置かないと決められていた首都ローマの中にまで及ぶよう改めていた。法的には、アウグストゥスは首都内でも、軍事力を行使できる権限をもったことになる。だが、自己制御の能力では満点を与えてもよいアウグストゥスのことだ。彼の在世中は、首都内を軍団が練り歩くのは、配下の将たちの凱旋式のときにかぎられた。

「護民官特権（トリブニチア・ポテスタス）」――護民官とは、共和政時代の公職の中でも最も民主的で最もリベラルな公職であった。貴族の家門(ジェンス)に生れなかったというだけでハンディキャップを負った平民の、社会的権利の保護が役割であったからだ。それゆえ、貴族たちの反感から守るために、肉体上の不可侵権を認められ、この特権の侵害者は、つまり護民官を殺したり傷つけようものなら、反国家犯罪として裁かれることに決まっていた。護民官特権を認められていたカエサルを殺したブルータス等の暗殺者たちは、だからローマ法上でも、国法を犯したことになる。

元老院に出席するときは必ず、屈強な自派の議員たちに周囲を固めさせたというアウグストゥスのことだ。肉体不可侵権はあって悪いことはないが、それで万全とは思っていなかったであろう。それゆえ、「護民官特権」を欲した彼の真意は、これ以外の特権である平民集会の召集権に政策立案権、そして何よりも拒否権にあったにちがいない。

召集権をもつ平民集会で、彼提案の政策を可決させれば、たとえ元老院が反対しようと、平民立法の形で政策化も可能であるのは、紀元前二八七年に成立したホルテンシウス法で認められている。つまり、執政官が召集権をもつ市民集会での決議と同価値ということだ。これに加えて、元老院が決めようが執政官の立案であろうが、白紙にもどせる拒否権（ヴェトー）。

これほどの大権をなぜ易々とアウグストゥス一人に与えたかだが、その理由は二つに分けられるかもしれない。

第一に、執政官連続就任に終止符を打つという、アウグストゥスの投げた餌（えさ）に喜んでくいついてしまったこと。

第二は、護民官制度とは、紀元前四九四年以来延々と五百年近くも存続してきた制度のため、ローマ市民には慣れ親しんだ制度であったことだ。慣れ親しみすぎて、誰一人、この大権にどのような新しい活用のしかたがあるかなど、考えもしなかったのである。新しい活用のしかたに気づいた最初の人はカエサルだが、活用する時間を与えられる前に殺された。そして、もはや言わずもがなのことだが、「護民官特権」取得のように重要な事柄は、『業績録』には一言もふれられていない。ということは、「護民官特権」中の拒否権行使の特権こそ、帝政への移行の眼目ということであった。

その証拠に、アウグストゥス取得の「護民官特権（トリブニチア・ポテスタス）」の有効性は、彼が創設した〝内閣〟の機能性の向上に反映せずにはいなかった。

直訳すれば「第一人者を補佐する委員会（コンシリウム・プリンチエピウム）」とするしかないローマ時代の内閣だが、

その構成は、「第一人者」であるアウグストゥスに、二人の執政官、そして重要〝官庁〟の代表が一人ずつと、抽選で選ばれた十五人の元老院議員から成る。「第一人者」以外の任期は、いずれも一年。

　これを決めた当時のアウグストゥスは、「第一人者」であると同時に、アグリッパとともに執政官であった。それゆえ、ローマ法では拒否権をもつ執政官だが、アウグストゥスの政策が拒否権で挫折する怖れはなかったのである。

　だが、執政官連続就任はやめると宣言した紀元前二三年からは、「閣議」での決定は、執政官の一人が発動する拒否権で頓挫する怖れが出てくる。ここで、拒否権も認められている「護民官特権」が活きてくることになる。

　とはいえ、ローマの法では、執政官の拒否権と護民官の拒否権は、同格の価値をもつ。しかし、アウグストゥスは、共和政時代では十人にものぼった単なる護民官ではない。唯一の「護民官特権」の享受者であり、そのうえローマ市民中の「第一人者」であり、さらに、すべての上に超然と位置するという意味の「アウグストゥス」なのである。

　こうなれば、彼が自ら『業績録』中に記した、「それ以後のわたしは、権威では他の人々の上にあったが、権力(ポテスタス)では、誰であれわたしの同僚であった者を越えることはなかった」という一文も、微苦笑なしには読めなくなるだろう。実際は、閣議も、彼の意のままになるということであったのだから。十五人の元老院代表はこの時期二十人に増員されるが、国政への元老院の意志反映は、もはや数の問題ではなかったのだ。それでも、抽選による二十人の代表を送りこむことで、元老院は満足したのである。

「護民官特権」の取得によって、指導者としての、いや皇帝としての、アウグストゥスの公的地位の確立は完了したのである。その証拠に、彼以降の皇帝たちの公式名称も、アウグストゥスのそれを継承していくことになる。

Imperator Caesar Augustus Tribunicia Potestas

ここまでは誰も同じで、この後にはじめて各自の名がくるという具合だ。

並の出来の皇帝ならば、これではじめて羽を伸ばせると思い、豪華な皇帝宮殿の建設を手がけたりするところであったろう。しかし、四十歳のアウグストゥスは、この面でも、私財の充実などにはまったく無関心だったカエサルの、正真正銘の後継者であった。ローマの高級住宅地とはいえ家がまえはまことに質素な屋敷住まいをつづけながら、帝国全体の経済の充実を目的とした、通貨制度の根本的な改革に着手したのである。なぜなら、経済政策としか見えないこのことも、ローマ帝国にとっては、「安全保障(セクリタス)」の一部門であったのだから。

通貨改革

ローマでは長く、日常使われる通貨という意味ならば、銀貨と銅貨の二種類しかなかった。金貨もあったが、手にすることまことに少ない通貨で、凱旋式やその他の機会に記念として鋳造され配付されることが多く、一般に広く使われるまでにはなっていなかった。共和政時代のローマの、経済力を反映していたのかもしれない。とはいえ、あることはあったのだ。それに、金の含有率は百パーセントという純金製だから、もらって悪いものではない。ただ、広く通用することを目的に作られた、「通貨」ではなかったのである。

それを通貨に組み入れたのはカエサルである。国家ローマの経済力の上昇を見こんでの政策であったとしたら、ユリウス・カエサルの特色であった先見性は、この面でも発揮されていたことになる。いずれにしてもカエサルは、金と銀の換算値を一対十

銅	
 (セステルティウス銅貨)	 (アッシス銅貨)
セステルティウス(銅貨) デュポンディウス(銅貨)	アッシス(銅貨) クワデュランス(銅貨)
1/4デナリウス 2アッシス	1/4セステルティウス 1/4アッシス
27 13.65	10.90 3.24
1 1/2	1/4 1/16
真鍮 (銅と亜鉛)	銅100% 銅100%

3) 銅と亜鉛の合金である真鍮は、光沢ある黄色をしていて加工度も高く、腐食しにくい性質をもっているために最も多く使われる通貨には最適な金属である。ただし、素材価値ならば純銅より高くなる。
それでアウグストゥスは、素材価値と額面価値を一致させる必要から、純銅製通貨二種の重量を増やしたのである。

これによって、以前は7グラムであったアッシス銅貨は10.9グラムになり、1.7グラムであったクワデュランス銅貨は、3.24グラムになったのだった。

アウグストゥスによる通貨制度の改革(紀元前23年より)

金属	金	銀
(実物大)	 (アウレウス金貨)	 (デナリウス銀貨)
名称	アウレウス(金貨) クィリナリウス(金貨)	デナリウス(銀貨) クィリナリウス(銀貨)
交換価値	25デナリウス 1/2アウレウス	1/25アウレウス 1/2デナリウス
重さ(グラム)	7.80 3.89	3.90 1.95
重さ(リブラ)	1/42	1/84
含有率	金100% 金100%	銀100% 銀100%

*ローマの重量単位リブラ　1リブラ=327.456グラム

[注]

1) 1金貨(アウレウス)=25銀貨(デナリウス)=100銅貨(セステルティウス)

2) これ以前は銀貨の名称であったセステルティウス (sestertius) を、アウグストゥスは、最も使用度の高い銅貨の名称に変えた。

二と決め、銅貨の鋳造は元老院の権限に残したが、金貨と銀貨の鋳造権は終身独裁官である彼の権限とした段階で殺されていた。

アウグストゥスは、暗殺によって中絶したままであったカエサルの通貨制度確立の試みを再興したのである。ただし、それを進める権力と完了に要する時間の双方ともに恵まれていたアウグストゥスによる改革は、実に徹底したものになったのは言うまでもない。おかげで、帝国の経済力の推移につれて金属の含有率は推移しても、制度としてならば、紀元四世紀までの三百年間つづくことになるのである。そして紀元前の末期、つまり帝国の初期という時期にこの通貨制度の改革を断行したアウグストゥスの目的はただ一つ、強力で信頼置ける基軸通貨の確立と、それによる帝国全域の経済の活性化にあった。

アウグストゥスによる通貨制度の確立には、経済にはシロウトもよいところの私の視点から見るだけでも、いくつかの興味深く感じられた点がある。

まず第一に、一アウレウス金貨＝二五デナリウス銀貨＝一〇〇セステルティウス銅貨という、金・銀・銅の三通貨間の、実に単純明快な関係である。システムというものは時を経れば複雑化するのが宿命で、ゆえに基本は常に単純であったほうがよい。

第二は、カエサルが手をつけアウグストゥスが完成するローマの通貨改革を調べながら、私見とはいえ以前からいだきつづけてきた想いを確認した気になったことだ。それは、経済人ならば政治を理解しないでも成功できるが、政治家は絶対に経済がわかっていなければならない、という一事である。

そして、アウグストゥスによる通貨制度の再編成の支柱は、額面価値と素材価値の一致にあったと思う。なぜなら、この確立と維持がなければ、ローマの通貨が基軸通貨でありつづけることはできないからである。

アウグストゥスはわかっていたのだ。通貨というものは、ローマ皇帝にもローマ軍団にも影響されず、経済の原則にのみ忠実に動く生きものであることを。この「生きもの」に勝手な行動を許さない道は、紙幣が存在しなかった時代、額面価値と素材価値の一致しかなかった。

感想の第三だが、アウグストゥスによって定められ、その後三百年もの間不動でありつづけたこれらの通貨は、あくまでもローマ帝国の基軸通貨であって、帝国全体の共通通貨ではなかったということである。これより百年以上も後の人であるプルタルコスの著作でも明らかなように、ローマ帝国時代のギリシア人の著作中に記される通貨は、それ以前と変らず、常にギリシア通貨のドラクマでありタレントであった。記されたということは、存在し通用していたということである。

それはローマが、自分たちの通貨を覇権下にある他民族に共通通貨として強制できる力をもちながら、強制しなかったということなのだ。ローマは、自治都市ないし自由都市として認めた地方には、その地方独自の通貨の鋳造権も認めていた。なぜなら、国内自治とともに、通貨も、その国の人々にとっては、経済上の意味を越えた何か、つまり独自の「文化」、であるからだと思う。円が消え日本中がドルに埋めつくされた場合を考えてみてほしい。国外との経済活動ならば便利になるだろう。だが、経済の活性化とは、ただ単に経済のことばかり考えていては、一部のみの活性化に終わるのではないだろうか。

アウグストゥスの通貨改革を調べながら興味深く感じたことの第四は、次の一事であった。

アウグストゥスは、記念貨にかぎらず通貨にも、自分の横顔や自分に関係した事柄を彫らせたカエサルのやり方を踏襲したのである。しかも彼の場合は、彼に鋳造権があった金・銀貨にかぎらず元老院に鋳造権があった銅貨にまで彫らせたのだから、基軸通貨はアウグストゥスの横顔で埋まったと言ってよい。だが、それが現代の国の紙幣とちがった点は、素材が金属と紙のちがいにもあったろう。通用期間は、通貨がすり切れて鋳造し直す必要に迫られるまでであったのだから。実際、帝政時代のローマにとっては国家の敵となったブルータスが作らせた銀貨も、銀の含有量が百パーセントであったため、そのままで使われつづけたのである。先の皇帝たちの横顔が彫られていようと、徴収して鋳造しなおすということを、ローマの皇帝たちはやらなかった。

そして、紙幣が存在しなかった時代、ローマ通貨の額面価値と素材価値の推移は、そのままローマ帝国の経済力の推移を映し出していく。この視点から見れば、経済上でも、「パクス・ロマーナ」(ローマによる平和)は、確実に存在した。そしてそれは、アウグストゥスの時代からはじまるのである。

政治家としてならば、アウグストゥスはカエサルよりも、より完全でより適した資質の持主であった、とする研究者は多い。アウグストゥスは後に歴史家タキトゥスが評するように、唯一人の勝者になった後も、「気づかれないように一つずつ、長い時間をかけてすべての権力を手中にしていった」のに反し、カエサルは、唯一人の勝者になるや終身独裁官に就任し、強引に革命を押し進めたところがちがう、と言うのである。

私はこのちがいを、第一に二人の性格の差異、第二は、カエサルは五十四歳になって「革命」をはじめることができたのに対し、アウグストゥスは三十三歳からはじめることができたという年齢の差。そして第三は、カエサル暗殺から得た教訓によって、絶対に殺されてはならないとした意志、にあったと述べた。だがここまできて、もう一つの差異についても考えてみたいと思う。

それは、結論を先に言えば、日本でよく言う「貴種」、に生れた者と生れなかった者のちがいである。

カエサルは、王政時代からつづいている、ということは七百年もの歴史を誇る、名門中の名門の子として首都ローマに生れた。一方、アウグストゥスは、出生地こそローマだが、祖父の代には何を業としていたのかも明らかでない、地方の小都市ヴェレトリの、経済的にはカエサル家よりは裕福でも、父の代にはじめて元老院入りを果した家に生れている。その父親も、元老院議員にはなったものの、若くして死んだためか要職はいっさい無経験の一議員で終った。それでも母アティアの実家が名門ででもあればハクは少しはついたろうが、アティウス家も、ローマ史ではまったく無名。カエサルが「貴族階級（ノビリス）」出身であるのに、アウグストゥスは、ローマ社会では第二階級の「騎士階級（エクイタス）」の出身である。カエサルとの血のつながりがあると言っても、妹の娘の息子では薄すぎて、それを前面に出したりすれば失笑を買う。王政時代には三百もあった名門も共和政末期には十四家門（ジェンス）に減っていたというが、元老院にはそれでも、ヴァレリウス、クラウディウス、コルネリウス等の名門出身者たちがウヨウヨしていたのだ。アウグストゥスの身辺でも、妻リヴィアの連れ子二人はクラウディウス一門の直系である。

　このような事情があったからこそ、カエサルはオクタヴィアヌス時代のアウグストゥスを、後継者に指名しただけでは不充分と見、息子としてカエサル家に入れたのである。だが、十四にしろ「貴種」が健在のローマの指導者階級内では、実子と養子の差はやはりあった。それに、一般大衆ともなれば、なおのこと「貴種」が好きだ。カエサルならば何をどうやろうとも民衆は納得したろうが、アウグストゥスは慎重に進めざるをえなかったのである。

　この面に関してのアウグストゥスの配慮は、彼個人の虚栄心を満足させるためではなく、国家ローマの安定と繁栄の確立を目的として成されたがゆえに、涙ぐましいとさえ私には映るのである。

墓にはいっさい無関心だったカエサルとちがい、アウグストゥスは、マルス広場の最北部とはいえ、これまで誰一人建てたこともないほど壮麗な「霊廟（マウゾレウム）」を、自分と自分の家族のために建てたことも、その一例と見てよいだろう。また、フォロ・ロマーノの拡張計画の最初になった「カエサルのフォールム」と、カエサルの暗殺者たちを敗死させたこととの記念碑でもある「アウグストゥスのフォールム」の、建造プランのちがいにもそれを見ることができる。

「カエサルのフォールム」に立つ彫像の中でも重要なものは、神殿の内陣に置かれた、カエサル家の属すユリウス一門の守護神とされてきた女神ヴェヌス、つまり「尊母ヴィーナス（ヴェヌス・ジェニトリックス）」の大理石像に、神殿の前に広がる広場の中央に立つ、ブロンズ製のカエサルの騎馬像の二つのみであった。

一方、「アウグストゥスのフォールム」では、その全体を飾る彫像の中で主要な像のみをあげるとしても大変な数にのぼる。

まず、広場の中央に立つ四頭立ての戦車を駆るアウグストゥスのブロンズ像は、こ

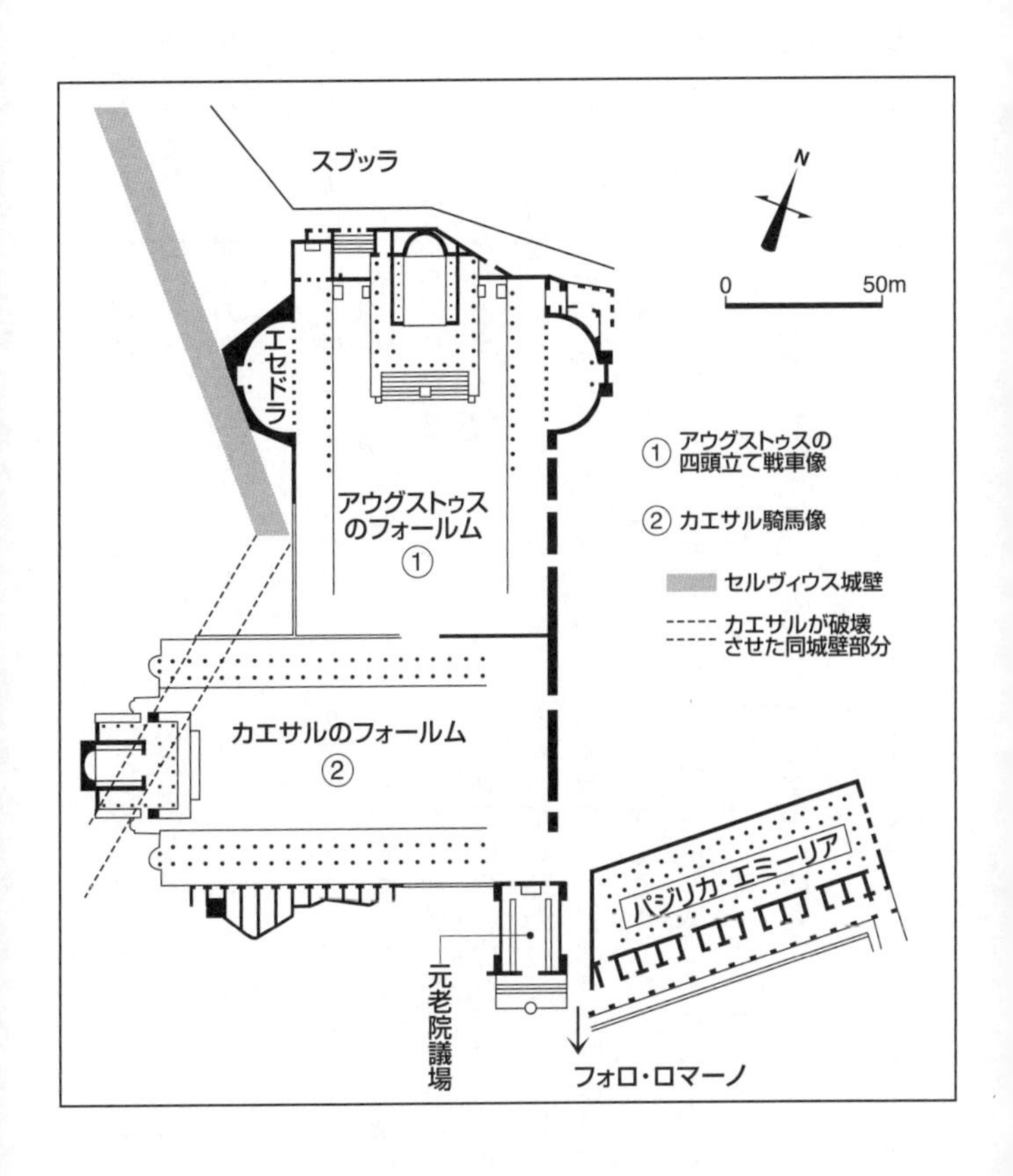
スブッラ
N
0
50m
エセドラ
アウグストゥスのフォールム
①
カエサルのフォールム
②
① アウグストゥスの四頭立て戦車像
② カエサル騎馬像
セルヴィウス城壁
カエサルが破壊させた同城壁部分
バジリカ・エミーリア
元老院議場
フォロ・ロマーノ

の「フォールム」が、軍神でもあり復讐（ふくしゅう）の神でもあるマルスに捧（ささ）げられているゆえ納得がいく。また、神殿内に、中央に「復讐神マルス（マルス・ウルトル）」、その左に女神ヴェヌス、右に神格化されたカエサルの像が並び立つのも、この「フォールム」を捧げた理由を思えば理解可能だ。

ところが、主要な彫像はこれで終りではない。女神ヴェヌスの息子でユリウス一門の始祖とされるアエネアス、その孫のシルヴィウス、その親族、ユリウス一門がはじめに住んでいたアルバ・ロンガの王たちときて、ローマが共和政になった後も、それぞれの時代の偉人たちのオンパレードという有様。これだけの歴史を背にする必要を、アウグストゥスは感じていたということだろう。わかっているだけでも十六体になるこれらの彫像の配置を、つまり、アウグストゥスの要望を、エセドラと呼ばれる半円を両側につけることで解決した、建築師の才能には感心するしかない。

このように、「カエサルのフォールム」とはちがってよほど威厳あふれる空間になった「アウグストゥスのフォールム」だが、それだけに、愉快な副産物も産むことになった。ローマ時代の恋人たちからは、敬遠されてしまったのだ。

エセドラになっている部分は、広大な広場の中では落ちつける空間になる。ところが、そこには建国以来の偉人たちが並び立っているのだ。その中でもとくに、アッピウス・クラウディウスの像がいけなかった。ローマ式街道システムの創始者としてアッピア街道を敷設したことまではよいが、この人物は視力も衰えた老年になっても、気力だけは衰えなかったのである。それで、敗北で弱気になった元老院が敵と講和を結ぼうとしていた際、老いたアッピウスは彼らを叱りつけたのだった。「ローマは、勝って講和を結ぶことはあっても、負けて講和を結んだ例はない！」

その人の見降ろす場所で恋のささやきなど交わしては、それこそ叱咤の怒声が降ってきそうである。というわけで、ローマの恋人たちは逢引の場を、すぐ隣りの「カエサルのフォールム」に移したのであった。

あそこなら、恋の女神でもあるヴィーナスと、これまた恋の達人であったカエサルが見守るだけである。帝政期の詩人のマルティアリスかユヴェナリスのどちらかに、フォロ・ロマーノの会堂で開かれる裁判では立板に水のごとき弁論の冴えを見せる若き弁護士が、恋する女を「カエサルのフォールム」にさそいこんだまではよかったが、カエサルの騎馬像の下では、恋のささやきどころか一語も出てこなくなった様子を、ユーモラスに描いた詩がある。馬上のカエサルもこれには笑って、「がんばれ！」とぐらいは激励したかもしれない。

恋人たちには敬遠されたが、「アウグストゥスのフォールム」が非人間的な空間になったわけではなかった。ローマでは盛んであった私塾形式の、小中学校の教場として活用されたからである。教場ならば、偉人たちに見つめられるのも、教材がすぐそばにあるということだから、不都合どころか好都合であったろう。

カエサル・アウグストゥスにはまだなっていなくて、カエサル・オクタヴィアヌスであった頃の彼が、アントニウス・クレオパトラ連合軍と対戦したアクティウムの海戦前夜に勝利を祈願したのは、アポロ神であった。それで凱旋直後にパラティーノの丘の上にアポロに捧げた神殿を建立するが、それまでのローマ社会で重要視されてきた神々には、アポロは入っていなかったのである。神々の棲まう聖域とされてきたカピトリーノの丘上に神殿を捧げられていたのは、男神ユピテル（ギリシア名ではゼウス）、その妻のユノー（ヘラ）、智恵の女神ミネルヴァ（アテナ）の三主要神。この神々は、ギリシア渡来でも早くからローマ本来の神々と融合して、ローマ宗教の主神群を形成していた。この他に、戦いの神マルス（ギリシア名ではアレス）も主神に加わる。それなのに、ギリシアでは主神の一人だったアポロ（アポロン）だけは、光と詩の神という、ローマ人にとっては抽象的すぎる役割のせいか、さほど重要な地位を与えられずにきたのである。神殿も、都心から離れた場所に建てられる時代が長くつづいた。

それをアウグストゥスは、自らの私邸のすぐ近く、都心も都心のパラティーノの丘上に建てさせたのである。ローマ第一の権力者の守護神になったおかげで、ローマの神々の間でのアポロの地位は高まるが、カエサルのような先祖伝来の守護神をもたなかったアウグストゥスの、苦心の選択と考えられないこともない。

しかし、たとえマイナスがあってもそれをプラスに転化しうる才能は、創造者の必ずそなえもつ才能でもある。男神アポロとは、常に美しく清々(すがすが)しい若者の姿で表現されてきた。自らの彫像の年齢を四十代以前に留めさせたアウグストゥスである。彼個人の守護神としても、若き男神アポロはまことにふさわしい神と考えたのではないか。

選挙改革

イメージが先行すること自体は、悪いことではない。悪いのは、具体的なことは何一つともなわず、イメージのみが独り歩きする場合である。執政官の選出も再開され、市民(有権者)の政治意識も再び活気づいた紀元前二三年が、アウグストゥスにとっては、選挙制度改革の好機と映った。

諸々の大権を、時間をかけて人眼を引かないやり方で手中にしつつあったアウグストゥスだ。大々的にくり広げられる選挙が偽善であることぐらいは、知りすぎるほど知っていたにちがいない。

だが、彼と比べれば強引に大権を手中にしたカエサルとて、自由に選挙権を行使できるという一事が、どれほど人々に満足を与えるかを知っていた。満足した人々が従いてくるからこそ、大事業も成功するのである。ラテン語のコンセンスス、現代英語のコンセンサスとは、目的への同意よりも、手段への同意であることが多い。カエサルが建設しはじめていた「サエプタ・ユリア」（意訳すれば、ユリウス選挙会場）は、アウグストゥスによって完成していた。選挙は、現代にも遺るパンテオンの東に接してあった、一二〇メートル×三〇〇メートルの広大な列柱回廊を、選挙区ごとに区切って行われるのである。選挙のやり方は、共和政時代のそれと同じだった。つまり、当落は全体の票の集計で決まるのではなく、選挙区ごとの結果がその選挙区の「票」になり、その「票」の集計で当落が決まるやり方である。これは、ローマが共和政に変った紀元前五〇九年からつづけられてきた、ローマ独自の選挙のやり方であった。

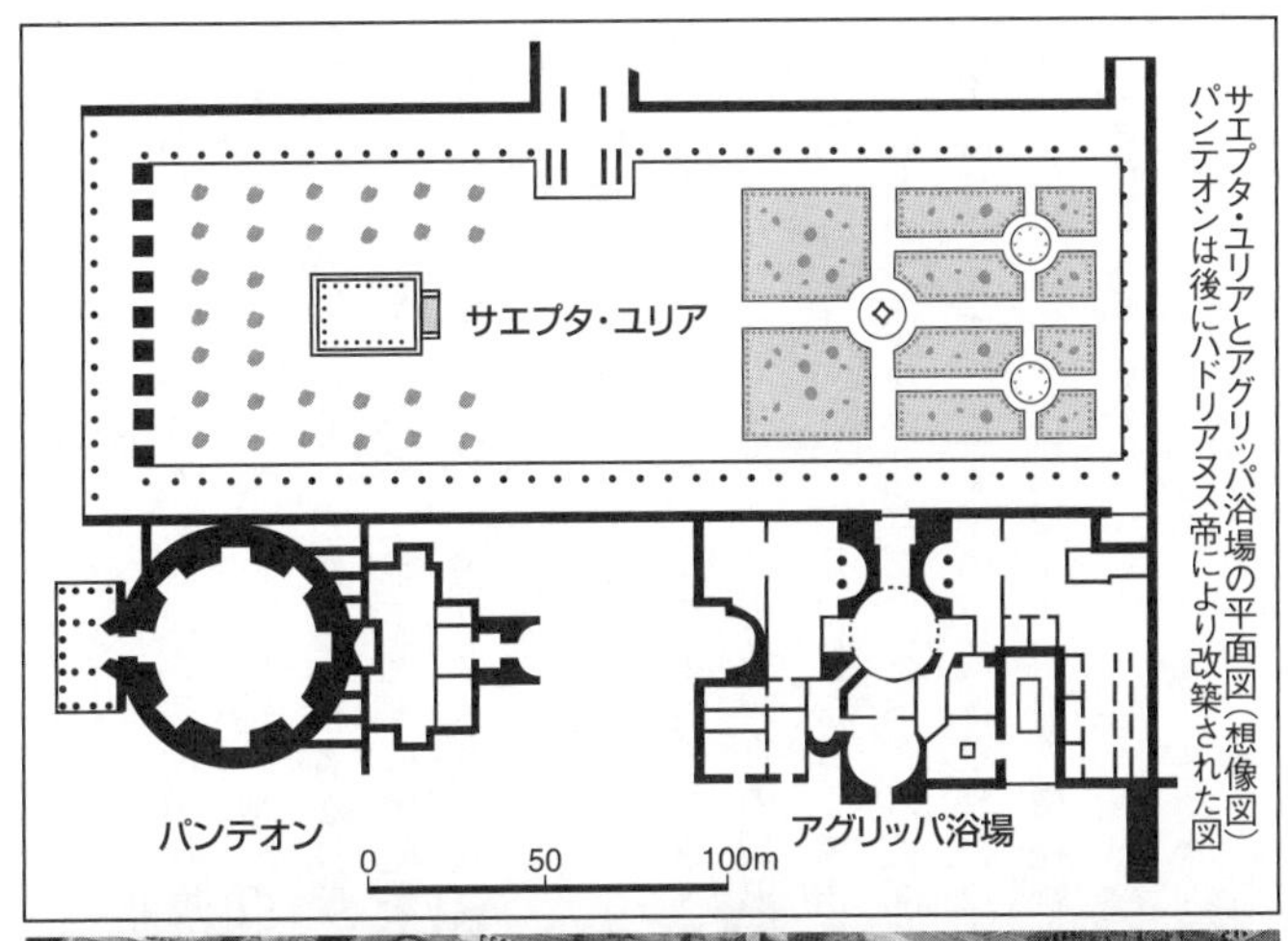

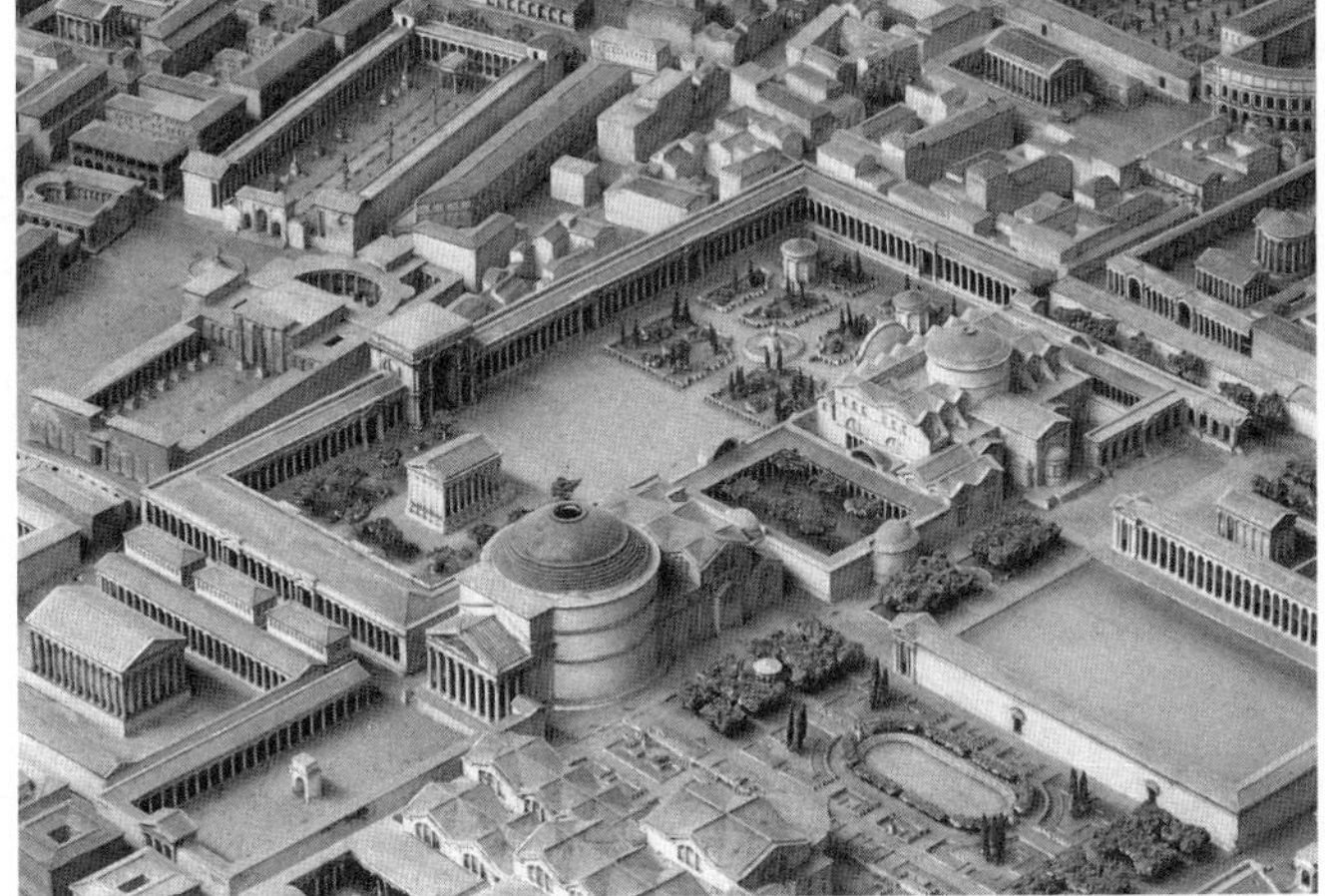

サエプタ・ユリアとアグリッパ浴場、パンテオンの復元模型

しかし、アウグストゥスによる選挙制度改革が改革であった由縁(ゆえん)は、ローマ史上、いや古代ではじめて、首都以外の地での投票も認めたことにある。現代人ならば、地方自治体ごとにそこに住む有権者が投票し、その集計が首都に運ばれるやり方は当然のことと思う。だが、都市国家の歴史からも、選挙は首都で行われるのが当然と思われていた古代である。アウグストゥスによる改革は、不在投票を認めたことと同じ意味をもった。

有権者が四百万を越えるようになったこの時代、従来のように首都ローマに来ることのできる市民のみが選挙権を行使できる制度をつづけていたのでは、建前ならば国家の最高官職でありつづける執政官の選出も、それこそ単なる偽善で終ってしまう。この時代からすでに、属州に住むローマ市民権所有者にまで不在投票が認められていたという史実はない。だが、有権者の大部分が住むイタリア本国内ならば、不在投票の実施によって、選挙権の行使は平等になったのである。ちなみに、技術の発達めざましい二千年後の現代ですら、海外に住む有権者の不在投票が充分に機能していると言える国は少ない。

選挙とは、それが活気づくだけで放置しておくと、選挙違反のほうも活気づいてしまいがちである。アウグストゥスは、違反に対する罰則も法制化した。

候補者には、一定額の保証金を積むことが義務づけられた。違反すれば、それは没収されて国庫に収められる。ただし、これはローマの慣例でもあったのだが、候補者への選挙資金の援助は認められていた。アウグストゥス自身も、自派の候補者には援助するのを習慣にしていた。その額は、一人につき一千セステルティウス。一兵卒の一年分の本給が、九百セステルティウスであった時代である。最高権力者がこの金額では、他の人とてそれ以上は遠慮せざるをえなかったであろう。また、「名誉あるキャリア（クルスス・ホノルム）」とも呼ばれた無給の国家の要職に立候補するには、百万セステルティウスが資格資産の下限とも決めた。元老院議員の資格資産と同額である。それに欠ければ立候補もできず元老院議員にもなれないことになるが、経済力以外の資格ならばあるとした人物には、アウグストゥスは身銭をきって助けている。

この程度の改革で選挙違反は消滅したのかと疑ってしまうが、実際はほぼ消滅したのである。票の売買が横行していたカエサルの登場時代に比べれば、ローマの選挙のクリーン度は見ちがえるばかりになった。

この四十年間に、ローマの有権者の倫理（モラル）が向上したのではない。違反すれば没収される保証金が、惜しかったのでもなかった。票を買ってまでして得た公職の、経済上のウマ味、つまり利権が失われたからである。会計検査官（クワエストル）に当選して任期満了後は元老院の議席を得、それから法務官（プラエトル）の選挙に挑戦し、次いでは執政官（コンスル）選挙にも挑戦するのは、その後に待つ属州総督が目的であったからである。ところが、アウグストゥスは、それまでは属州総督の管轄（かんかつ）下にあった徴税権を「皇帝財務官（プロクラトール・インペリアーレ）」という官僚を専任にして送りこむことで、取りあげてしまっていた。これでは、共和政時代の属州総督のように、属州勤務中に一財産築くことなどは不可能になる。〝利権〟を失ったことが、ローマの公職選挙がクリーンに変った主因であった。

しかし、「名誉あるキャリア」の理念はまだ健在だった。一財産築くことよりも、国家に奉仕したい人物は多い。まして人間には常に内在する、虚栄心もあった。それに大衆は、選挙をお祭りとでも思っている。一年に一度の選挙が行われる数日間は、広大な「サエプタ・ユリア」が人でごったがえすほどの盛況を呈するのだった。

アウグストゥスによる選挙改革では、執政官（コンスル）二人、法務官（プラエトル）十六人という、カエサルの改革は変えていない。ただし、カエサルが四十人とした会計検査官（クワエストル）の定員は、それ以前のスッラによる改革にもどして二十名とした。これもアウグストゥスの、元老院懐柔策の一つである。スッラはとかくの評判のある人物だったが、元老院体制の強化につくした人としては、元老院も恩人と見ていたからである。ただし、アウグストゥスは、二十名に半減したとはいえ、「名誉あるキャリア」のスタートでもある会計検査官(クワエストル)の資格年齢を、従来の三十歳から二十五歳に引き下げた。これは何も、要職者の若返りを考えたからではない。会計検査官の資格年齢が三十歳だと、同じく三十歳が資格年齢の元老院入りとの間に時間差がなくなる。任期を終えた会計検査官の元老院入りは、自動的にならざるをえないのだ。ところが二十五歳だと、元老院入りとの間に四年の時間差が生れる。その四年間は、アウグストゥスが、元老院議員にふさわしい人物か否(いな)かを検討することに使えた。

　共和政時代でも、元老院入りはまったくの自動的ではなかった。財務官(ケンソル)が検討して、議席を与えるか否かを決めていたのである。まったくの自動的であったのは、平民階級懐柔の意味もあった、護民官経験者のみであったのだ。

　国家ローマの要職者をプールする意味もあった元老院に、議席をもてるか否かを決定するのが財務官(ケンソル)であったからこそ、共和政時代の財務官の権力は強かったのだが、財務官とは、執政官はもちろんのこと属州総督も経験した、元老院の有力者が就任する官職とされてきた。しかし、元老院がローマの要職予備軍でもある若者の元老院入りの可否を決めるこのシステムを、「元老院体制」打倒を目指していたカエサルが見逃がすはずはない。財務官が決める制度は、カエサルによって消滅する。元老院入りを決めるのは、終身独裁官カエサルの権限になった。

アウグストゥスも、このカエサル方式を踏襲する。ただし、その進め方がちがった。カエサルには、任期満了時には最年少者でも三十一歳になっている元老院入り候補者に、その時点で合格か不合格かを告げる必要があったが、アウグストゥスの場合は四年間の猶予（ゆうよ）がある。その間には、後のキャリアに影響を及ぼさないではすまない元老院入りの可否を決定するほどの大権も、世間の眼にはよほど弱まって映るようになる。

アウグストゥスは、深謀遠慮の人でもあった。

とはいえ、執政官（コンスル）二人、法務官（プラエトル）十六人、会計検査官（クワエストル）二十人、計三十八人の国家の要職を選ぶ選挙である。その数倍の人数で争われる選挙戦が、活況を呈したのも当然であったろう。

ローマ時代の「ノーメンクラトゥーラ」

ローマには昔から、有力者は家を外にする際に、「ノーメンクラトール」と呼ぶ役の奴隷を同伴するのが習いだった。有力者なのだから、フォロ・ロマーノを歩いているだけでも、近づいてきて挨拶(あいさつ)する人が絶えない。その人たち全員の名を覚えているなど不可能だ。それで、向うから人が近づいてくるのを見るや、「ノーメン」（名前）を「クラトール」（世話する役）の奴隷は主人にささやく。それで有力者も、こんな会話ができるというわけだ。

「やあ、プブリウス・ヴァティニウス、元気でやっているかね」

選挙戦中ともなれば、「ノーメンクラトール」の覚えていなければならないデータは、名前だけではすまなかった。また、向うから挨拶してくる人だけを相手にしていたのでは、当選は望めない。なにしろローマの有権者には、資産もないために日々の仕事からの収入にしか頼ることのできない人という意味の「無産者(プロレターリ)」もいれば、元は奴隷でも自由を得て解放奴隷と呼ばれている人もいる。解放奴隷も、一応の資産があって子に恵まれていれば、ローマ市民権をもらえたからだった。また、いかに父親は元老院議員でも自分は二十五歳では、挨拶する相手を選んでいては好感さえ獲得できない。「ノーメンクラトール」の頭の中は、コンピューター並みにならざるをえないのであった。

「やあ、ガイウス・スヴェトニウス、オリエントでの商売はうまくいってますかね。そう、それはよかった。もう候補者名簿で御存知と思うけど、会計検査官（クワエストル）に立候補したのでよろしく願います」

「クイントゥス・タキトゥス、ここであなたに会えるとは思わなかった。南仏属州に勤務中は、あなたの親族にはとても世話になって感謝している。今度、法務官（プラエトル）に立候補したんだ。頼みますよ」

執政官の候補者ともなれば、選挙運動とて品格は保つ必要がある。

「やあ、きみか、ティトゥス・プルタルコス。御子息がアテネに留学したと聞いたが、いつまであそこで学ばせるつもりかね？　ほう、そんなに長く。わたしも、執政官を経験できればその後は、アカイアの属州総督（アテネもその管轄下）を希望するつもりだ。その折りは御子息にも、何かとお役に立てると思いますよ」

ローマの指導者階級に属す者にとっては不可欠の「ノーメンクラトール」だったが、この職名の奴隷には、情報通であることでもう一つの仕事があった。宴会の席での席順、ローマでは寝台式の台の上に横に臥して食事するのが習いだが、その席順を決めるのも彼らの仕事であったのだ。有力者と親しくなりたい人は、この奴隷にチップを渡して、席順を有利にはからってもらうことも珍しくなかった。この「ノーメンクラトール」という言葉は、現代でも、語尾が少し変化しただけで使われている。共産主義国の特権階級は、「ノーメンクラトゥーラ」と呼ばれたのだから。

ローマの選挙では、候補者たちによる選挙運動に加えて、「推薦」という形式にしても、最高権力者による選挙運動も行われた。これを活用したのが、帝政という、非民主的と思われている政体の推進者のカエサルとアウグストゥスであった点も興味深い。だが、ここでも二人は、そのやり方ではちがった。

カエサルは、次の一文を送りつけるのを常としていた。

「独裁官カエサルから、A選挙区の有権者諸君へ。諸君の票によって、候補者Bと候補者Cの二人が、彼らが望んでいる官職に当選できるよう希望する」

この推薦文は、選挙区の名と候補者の名を入れ替えれば全選挙区に通用したのが、合理主義者カエサルの考えそうなことであった。

アウグストゥスは、推薦文を送りつけるようなことはしなかった。広い「サエプタ・ユリア」も選挙ともなれば、幕などを引いて各選挙区別に区分けされていたのだが、自派の候補者を伴ったアウグストゥスは、そのすべての区分けをまわって、彼推薦の候補者に投票するよう求めるのであった。ただしこのやり方も、紀元八年以降はやめてしまう。七十一歳になっては体力的に厳しすぎたからか、それとも、その頃になれば「謙虚な人」を演ずる必要もなくなったと思ってか、はわからない。紀元八年以降の彼の選挙運動は、カエサル式に変ったのである。とはいえ、投票場に自ら出向いて一票を投ずる習慣ならば、カエサルもアウグストゥスも同じであったのだ。ローマの帝政とは、選挙つきの帝政なのである。

そして帝政への道は、アウグストゥスの卓越した手腕によって着々と固められつつあった。しかし、彼のやり方が深く潜行するものであったために、表面的には、行われているのは共和政治であるかのような印象を与えたのである。また、カエサルの言ではないが、「多くの人は、見たいと欲する現実しか見ていない」のである。おかげで、元老院議場でのアウグストゥスは、議員たちの遠慮のない言動を耐えねばならないことが多かった。

これがもしもスッラであったら、議場は水を打ったように静まりかえり、誰一人、スッラを非難したり反論を試みたりする勇気などもてたものではなかっただろう。スッラの冷たい視線を浴びただけで、その人の名は「処罰者名簿」にのることを意味し、政治生命どころか肉体の生命まで消されることを意味したからである。

また、もしもカエサルであったら、有名な「カエサルの寛容」によって、何を言おうが消されるおそれはなかったから議場は生き生きしていたであろうが、カエサルを非難したり反論したりすれば、カエサルからの、機智に富んだ、しかし寸鉄人を刺す警句を浴びて、同僚たちの爆笑の中で立ちつくすことは覚悟しなければならなかった。小カトーなどは幾度、それをやっては唇をかみしめたことか。

アウグストゥスには、もともとからして、この二人のもっていたカリスマ性がなかった。またカリスマ性には、肉体的条件も重要な要素になる。アウグストゥスの身長は一七〇センチ程度であったというから、ローマの男としては、低いほうではないが高いほうでもない。だが、多くの史実からも一八〇センチは優に越えていた長身のスッラやカエサルが、ごく自然に周囲に及ぼしていた威圧感は与えなかったにちがいない。

元老院の議場で、アウグストゥスが法案を説明していたときのことである。議員の一人が遠慮のない野次を浴びせた。

「何のことなのか、さっぱりわからん！」

言葉を使っての説得力には自信のなかったアウグストゥスにすれば、痛い打撃であったろう。ところが無礼は、これで終りではなかった。別の議員からも、皮肉な声があがった。

「もしも発言さえ許してくれれば、あなたへの反論を逐一展開してみせますよ」

アウグストゥスも、さすがにこれには我慢できなかった。議場の外にとび出した彼を追って、中からは誰かが叫んだ。

「国政は、元老院議員間で討議して決めるべきなのだ！」

外で気分を静める前に、アウグストゥスだって、小石の一つも蹴とばしたかもしれない。

それでも、誰一人処罰された者もいなければ、左遷された者もいなかった。ゆえに、元老院議場内での討論の自由と反論の活潑さは、「第一人者」に対しての礼儀を越えることもしばしばであったのだ。

妻リヴィアの連れ子で幼児の頃からアウグストゥスの家で育ったティベリウスは、若いこともあってこの現状には憤慨したのだろう。そのティベリウスにあてた、手紙というのが遺っている。

「わたしのティベリウスよ、若いおまえでは無理もないと思うが、わたしのことを悪く言う人がいても憤慨してはいけない。満足しようではないか、彼らがわれわれに剣を向けないというだけで」

自己制御の能力でも、抜群の男であったとするしかない。

血への執着

このアウグストゥスを、紀元前二三年も末になって、はじめての家庭の悲劇が襲う。姉オクタヴィアの息子のマルケルスの、突然の病死だった。

四十歳のアウグストゥスにとっては、甥(おい)であり婿(むこ)であり後継者の第一候補であった人を失ったことになった。一人娘のユリアを嫁がせ、指導者としての成長を期待していた若者は、二十歳の若さで子も残さずに去ってしまったのだ。葬式の弔辞は、アウグストゥス自身が読みあげた。このマルケルスが、霊廟(マウゾレウム)に葬(ほうむ)られる最初の人になった。

その霊廟から発掘された、一枚の大理石版がある。そこには、マルケルスの名とともに、その母のオクタヴィアの名も刻まれている。一枚の大理石版に連記されていることから見て、息子を失った母が悲しみのあまり、自分の墓もともに作らせたからだろう。二十歳の息子に先立たれては、どんな母親でも死にたい想いになる。叔父であり舅でもあったアウグストゥスの落胆が簡単に忘れ去られる性質のものでなかった証拠は、これより十年の後に完成する劇場を、「マルケルス劇場」と名づけた一事にもあらわれている。「ポンペイウス劇場」に次いでローマでは二番目の石造の劇場になるこの建物は、カエサルが着工しアウグストゥスが完成させた公共建造物の一つなので、「サエプタ・ユリア」（選挙会場）、「クーリア・ユリア」（元老院議場）、「アックワ・ユリア」（水道）と同じように、「ユリウス劇場」と名づけられるべき建物であった。それが、建てさせた人物の名を冠するローマの伝統に反してまで、「マルケルス劇場」と名づけたのである。

しかし、アウグストゥスがカエサルとちがっていたことの一つは、血の継続にあくまでも執着した点であった。

喪が明けてすぐ、十六歳で未亡人になっていたユリアは再婚した。夫は、十七歳当時にカエサルの配慮で付けられて以後ずっと、アウグストゥスの最良の協力者でありつづけたアグリッパである。アウグストゥスと同年だから、四十歳の新郎になる。ア

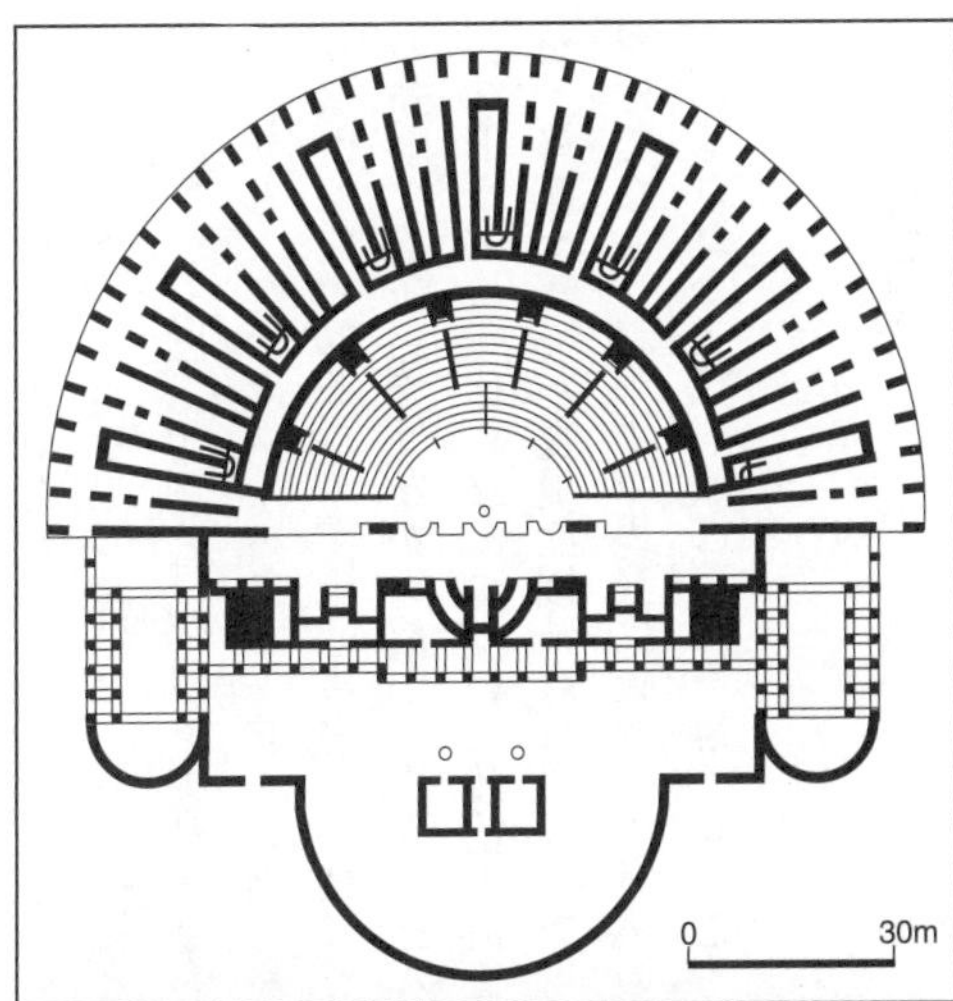

マルケルス劇場の平面図と復元模型

グリッパはすでに、オクタヴィアの娘のマルチェッラと結婚していて娘一人をもうけていたのだが、アウグストゥスはそれを離婚させ、娘ユリアと再婚させたのだった。離婚させられたマルチェッラには、エジプトで敗死したアントニウスが遺した息子の一人との再婚を用意した。

アグリッパとユリアの結婚は、血の継続ということでも、成功だった。二年後に長男の誕生、その三年後には次男も生れる。アウグストゥスは、四十三歳で祖父になった。

しかし、アウグストゥスは、自らの血の継続に執着しても、国益は一瞬たりとも忘れなかった。おそらく、十七歳当時の彼にカエサルが注目した理由の一つは、その彼の強固な責任感ではなかったかと思う。それが、国政を背負う身になって以後のアウグストゥスの、休みなくつづいた政治生活をささえた活力の源泉になったのではないか。首都を襲った食糧危機に対しても、アウグストゥスの対処は迅速で果敢であっただけでなく、将来まで視野に入れての対策の確立も忘れていない。家庭内の不幸に打ちのめされた人は、婿の遺体を焼く炎とともに消滅したかのようである。

〝食糧安保〟

国家としてのローマは、第一次ポエニ戦役終了後からすでに二百年もの間、食糧の自給自足を捨てていた。あの戦役でローマは、シチリア島の領有権をカルタゴから譲渡されていたのだが、シチリアの小麦の高い生産性の前に、本国イタリアの小麦は価格競争力で立ち行かなくなってしまったのだ。それ以降のイタリアの農業は、小麦からオリーブ油や葡萄酒（ぶどうしゅ）に方向転換をする。おかげで葡萄酒とオリーブ油は輸出もできる質と量を獲得できたが、主食である小麦は輸入に頼らざるをえなくなった。小麦の確保は、総人口百万とさえいわれるようになった首都ローマにとってはなおのこと、イタリア本国内でも、常に重要な課題でありつづけたのである。

食糧の保障は、共和政時代は按察官（エディリス）の管轄（かんかつ）とされてきた。だが、食糧不足が深刻化すれば、若い年代の「エディリス」では解決不可能になる。それで、威信に不足しない政界の大物が、臨時に任命されて解決にあたるのが常になっていた。紀元前五七年当時のポンペイウスが、その好例である。

カエサルは、この重要任務担当の専任者を置くよう改正する。従来は四人が定員の按察官（エディリス）を六人に増員し、そのうちの二人に、「食糧担当按察官（エディリス・チエリアーレス）」の官名を与えて専任にしたのだ。この二人には、輸入小麦の確保と、貧民への無償給付の責任が課された。ただし、その他の官職同様「食糧担当按察官」も一年任期だったので、恒久的な対策の立案と実施には不都合は隠せなかった。

アウグストゥスは、この制度の恒久化を考える。しかし、何ごとも段階的に実施する彼のことだ。紀元前二二年当時は、抜本的な解決には着手していない。それどころかはじめのうちは、共和政時代のように毎年二人ずつ選ばれるようになった執政官の活躍を静観していたかのようである。だが、執政官は、共和政時代の執政官の権限に忠実であろうとすれば、国庫からの臨時支出の決定を元老院に求めねばならない。それを求められた元老院では、六百もの議員の間で議論白熱。そのうちにパニック状態におちいった市民たちの間から、アウグストゥスに対して、独裁官に就任して事態の一挙解決に努めてくれるよう願う声があがった。独裁官（ディクタトール）は危機管理システムであり、それゆえに元老院にはかる必要もなく、独断で決め実行に移せるからである。だが、アウグストゥスは辞退した。ほんとうは終身独裁官（ディクタトール・ペルペトゥア）にさえ比肩（ひけん）しうる大権をすでに手中にしていたからだが、カムフラージュが巧みだったので多くの人は気づいていない。しかし、アウグストゥスの辞退で、共和政主義者たちはほっとしたのである。

だが彼は、パニック状態を放置したのではなかった。自らの財布をはたいたのだ。そして、アウグストゥス派の人々を海外にまで急派し、大量の小麦の買いつけにあたらせた。こういうことこそ彼は『業績録』に記すのだが、「わずかの日々のうちに、首都の住民を危機と恐怖から救った」のである。

市民たちが感激したのは当然だが、感激しつつも彼らは、多くの人の間で討論を重ねたうえで決断をくだすという、共和政体の限界にも気づきはじめていたのだった。

それでもアウグストゥスは、この空気を活用しなかった。危機を脱した後は、従来の一年任期の「食糧担当按察官（エディリス・チェリアーレス）」に、その任務をもどしたのである。これでまた、共和政主義者までが感心した。なにしろ、「食」の管理を手中にすることは、軍事を手中にすることと同じくらいの権力の掌握を意味したからである。

しかし、これより二十八年後に再び襲うことになる食糧危機のときは、アウグストゥスはもはや待たなかった。食糧庁長官と意訳してよいと思う、官職を新設する。「食糧庁長官（プレフェクトス・アンノネ）」には、政治職ではなく行政職であることを明らかにするために、元老院階級ではなく「騎士階級（エクイタス）」の中から任命した。この官職もまた、皇帝任命の行政官僚の一例になる。ゆえに任期も長く、ようやくローマも、食糧面での安全保障システムの確立が実現することになった。だがこれで、「食」でさえも、皇帝の権限とされるようになったのだ。元老院はこうして、所有していた権限の一つをまたも手離したことになった。

「食」の安全保障について述べたついでに、それとは同時進行ではなかったのだが、首都の住民への「水」の安全保障についてもふれておきたいと思う。街道と並んでローマの社会基盤整備(インフラ)の二大支柱になる上下水道については別の巻で詳述するつもりでいるので、ここでは字句どおりのふれるでとどめたい。

街道敷設と同じくこの面も、アウグストゥスはアグリッパに一任してきた。最初のパンテオンの建設者でもあるアグリッパは、建築や街道や水道工事のために、技術者のグループを組織していた。全員が奴隷だった。

紀元前一二年の死に際して、アグリッパは、全財産をアウグストゥスに遺す。奴隷も、財産のうちに入る。とはいえ全員が、〝インフラ〟工事のエキスパートだ。アウグストゥスは、彼らに自由を与えただけでなく、元老院階級、騎士階級、平民、解放奴隷、奴隷と分れているローマ社会の中で、一足とびに騎士階級に入れたのである。そして、彼らを中心にすえて、言ってみれば、「公共事業省」を新設したのだった。

その中でも重要だったのが、「水道局」である。帝政中期には十数本になる首都ローマに水を供給する水道のうち、一一本まで完工したのがアグリッパだ。「水」確保の重要性を、武人でもこの人は熟知していたのだろう。二千年後の今に遺る南仏のニームの大水道橋も、彼がつくらせたのだった。

アウグストゥスも、インフラの重要さを知ることならばアグリッパに劣っていない。

新設した「水道局長（クラトーレス・アクワルム）」に、元老院議員の中でも執政官経験者が就任するよう求める。「食」は、自分と自分の後継者の管轄としたが、「水」は元老院にまかせたのだ。それに、社会基盤整備（インフラ）は、ローマでは伝統的に、社会の高位にある者の考え実施すべきこと、とされていた。

紀元前二二年、四十一歳のアウグストゥスによる国政改革は、ここで四年ほどの中絶期間を置く。アウグストゥスが、これ以上の改革を押し進める前に、別のことの解決を先行したからである。それは、ローマ帝国の東半分の再編成と、先送りになっていたパルティア問題の解決だった。それに大衆は、地味な国政の整備よりも、華やかな戦果のほうを好む。また、帝国の東半分の再編成に彼自らが乗り出すにも、多くの面で機が熟していた。

東方の再編成

現代では、トルコの首都になっているアンカラを中心とする小アジアの中央部は、古代ではガラティア地方と呼ばれた。ローマが共和政であった時代は、同盟国、ローマ人の言い方ならば「ローマ市民と元老院の友人」であったのだ。それが、紀元前二四年になって、王系につながる最後の一人が死んだ。ガラティアのすぐ東には、同じくローマの同盟国のカッパドキアがある。そしてカッパドキアの東は、カスピ海に至る広大なアルメニア王国。アルメニアも、ローマの同盟国だった。国家ローマは、属州シリアとこれらの同盟国群によって、仮想敵国ナンバー・ワンであるパルティアを、西方から半円に囲みこむ戦略を採用してきた。ゆえに、パルティアとは国境を接していなくても、ガラティアの行方はローマにとって、防衛戦略上大変に重要な問題になる。ガラティアがローマのコントロール下から離れようものなら、この地域での防衛戦略は崩壊してしまうからだった。

ガラティア王の死が報ぜられた当時は、アウグストゥスはまだスペインのタラゴーナに滞在中で、西方の再編成の最中(さなか)にあった。しかし、スペイン完全制覇が完了するやいなや、アグリッパを早くも東方に送り出している。それも、実際上は皇帝である自分の次席という地位を与えて派遣したのだ。言ってみれば、権威権力をともにそなえた特命全権大使である。アウグストゥスの真意は、この機にガラティアを、ローマの直轄属州に変える気であったのだ。ただし、軍事力は使わずに。

東方に送られたアグリッパは、軍団を従えていない。また、問題の地ガラティアには直接に乗りこまず、小アジアの西岸近くにあるレスボス島に滞在しながら、平和裡での属州化の交渉を開始した。

しかし、アグリッパといえば、戦闘が不得手のアウグストゥスに代わって常に前線で闘いつづけた人であることは、ローマでは子供でさえも知っている。そのアグリッパが、軍団を従えていない。しかも行き先は、女詩人サフォーの詩でも知られた、風光明媚なエーゲ海の島レスボス。アウグストゥスが婿のマルケルスを重視しすぎるのに気を悪くして、長年の同志もついにレスボスに引っこんでしまったという噂が立ったのだった。私も以前はそう考えたときもあったが、今では確信をもって否と言える。この時期のアグリッパは、レスボス島にばかりこもってはいない。東方の属州視察はもちろんのこと、ユダヤにまで出向いている。こうして、アウグストゥスが自ら東方に向うことができるようになるまでの間に、東方の再編成の基盤づくりをしたのがアグリッパだった。彼の名で成された東方世界の社会基盤の数の多さだけでも、つむじを曲げてレスボスに引っこんだ人のやれることではない。最高権力者の「次席」であったからこそ、「主席」の登場を待って完了する大事業の基盤づくりも可能であったのだ。おかげでアウグストゥスは、その間に、西方の再編成を終え、首都に帰還し、

「護民官特権」を認められたことで皇帝につながる立場も完璧にすることができたのである。カエサルのはからいによって十七歳の頃から苦楽をともにしてきたアグリッパは、アウグストゥスにとっては、まことに得がたい友であり同志であり協力者であった。

期待をかけていたマルケルスに死なれたアウグストゥスが、一人娘のユリアの再婚の相手に望んだのがアグリッパであったのは、自分の血と友の血が混じり合うことへの暖かい想いも働いたかもしれない。そして、婿にもなったアグリッパを、アウグストゥスは、自分と同格の共同統治者にまでする。不在中のアウグストゥスに代わって「内閣（コンシリウム）」を取りしきるのも、アグリッパになった。アウグストゥスが、内閣の構成を、「第一人者（プリンチェプス）」と執政官二人、各省庁の代表一人ずつ、抽選で選ばれた元老院議員二十人に加え、「第一人者」の共同統治者も加えさせたからである。アウグストゥスの胸中には、自分にもしものことがあった場合の帝国を、アグリッパに託す想いもあったろう。同年輩でも健康ということならば、頑健な体格で病気知らずのアグリッパのほうが信用が置けたのである。

このアグリッパが基盤づくりをしてくれていたので、紀元前二二年に首都を後にしたアウグストゥスの東方再編成行も、急ぐ必要はなくゆっくりとはじまった。最初の行き先は、シチリア島である。シチリアに住むギリシア系住民たちは、「第一人者（プリンチェプス）」であり カエサルの息子でもあるアウグストゥスの直々の来訪を、大きな期待をもって迎えた。

ルビコン以北の北伊属州の住民全員に「ローマ市民権」を与えたことで知られるカエサルは、シチリアに住む自由民全員には「ラテン市民権」を与えていた。「ラテン市民権」とは、国政への参政権、つまり投票権だけは認められていないが、その他のすべての権利は「ローマ市民権」と同等である。ゆえに「ラテン市民権」は、「ローマ市民権」取得への準備過程とさえ考えられていた。カエサルは、この「ラテン市民権」を、南仏属州にも与えている。

ところが、北伊属州民に与えられた「ローマ市民権」は、紀元前四九年にすでに政策化されていた。反対にシチリアと南仏では、カエサルが与えると決めた時期は前四四年になってからである。その三ヵ月後に、カエサルは暗殺された。そして、暗殺直後からはじまった内乱状態の収拾がついたのは、前三〇年になってからである。その間ずっと、シチリアと南仏への「ラテン市民権」問題は放置されたままであったのだ。アウグストゥスは、政策化されなかったのだから白紙と同じとする。南仏同様シチリアにも、「ラテン市民権」でさえも与えないつもりでいた。

シチリア人とて、南仏滞在中のアウグストゥスが、南仏の住民に「ラテン市民権」さえも認めず、属州のままで継続したことは知っている。だが、「ガリア・ナルボネンシス」と「シチリア」では、ローマの属州であった歴史がちがった。シチリアのほうが断じて長い。しかもシチリアは、最短距離三キロのメッシーナ海峡をはさんだだけで、本国のイタリアと接している。地政上も、本国並みになって不思議ではなかった。またシチリアは、ローマの穀倉でもあったのだ。

しかし、アウグストゥスの観点からは、シチリアは他国だった。通用する言語もギリシア語である。完成された言語のなかったガリア人やスペイン人の間でのラテン語の浸透はめざましかったが、ローマのバイリンガル政策もあって、完成された言語であるギリシア語を使っていた人々は、ローマの属州になってもそれを使いつづけていた。ラテン語直系のイタリア語で統一された現代でさえも、ギリシア語が多く混じったシチリア方言を耳にするたびに微苦笑させられる。古代のシチリアでは、国語はギリシア語、第一外国語がラテン語、の感じであったのだ。

そのうえ、市民権に対するアウグストゥスの考え方も、シチリア人には不利になった。

カエサルとアウグストゥスのローマ市民権に関する考え方をまとめてみると、次のようになる。

——カエサル

㈠他民族でも、与えるにふさわしい働きをした者には与える。忠誠をつくした兵士は、ガリア人であろうとゲルマン民族であろうと、カエサルは「ローマ市民権」を与えた。

㈡ローマ帝国の将来にとって、与えておいたほうが適策と思う人には与える。被支配民族でも、部族の有力者やバルボのように才能ある属州民への市民権授与には、カエサルはきわめて開放的であり積極的であった。

——アウグストゥス

㈠の理由ならば、アウグストゥスもカエサルのやり方を踏襲している。軍制改革については後に述べるが、その中で彼は、属州民の志願兵でも満期除隊者には、「ローマ市民権」を与えているからだ。

しかし、㈡のケースでは、アウグストゥスは、慎重というよりも消極的で通した。その理由の一つは、元老院の反撥(はんぱつ)を買わないことにあったろう。だが、理由の第二は、ローマ本国人自体の充実と振興を先行すべきという、アウグストゥスの信念に由来したのである。

この面でも、「父」と「子」はちがった。学者たちは、カエサルは革新的であり、アウグストゥスは保守的であったと評する。とはいえ、両者のこの面での評価となると、アウグストゥスの方針のほうを高く評価する人が多い。だが、ローマ史研究が伝統的に盛んなのは、過去に植民地帝国の歴史をもつ現代の先進諸国である。開発途上国出身の研究者ならば、どのような評価をくだすであろうか。なにしろこれらの旧植民地帝国ときたら、自国の国籍を、「他民族でも与えるにふさわしい働きをした人」、にさえも与えなかったのであるから。

いずれにしてもシチリアは、属州のままですえおかれた。しかしアウグストゥスは、ローマの穀倉でもあるシチリアの生産性の向上には、それまでは誰もしなかったほどの熱意で臨む。そしてそのやり方は、保守主義を、残したほうが適策であるものは残す考え方、とみるならば保守的であり、それゆえに伝統的にもローマ人のやり方なのであった。

ローマと同じく七百年の歴史をもつギリシア移民の定着地シチリアには、主要都市としてすでに、シラクサ、カターニャ、メッシーナ、パレルモ、トラパニ、マルサラ、そしてアグリジェントの七都市が存在した。いずれもが海港都市であるのは、海運と通商の民族であるギリシア人やカルタゴ人によって建設されたからである。アウグストゥスはまず、この七都市の充実を期す。七都市を結んだ街道のネットワークは、島を一周する海岸ぞいのものと、内陸を横断し縦断するものから成り立っていた。後者は、ギリシア人には関心が薄かった内陸部の振興を考えてだ。

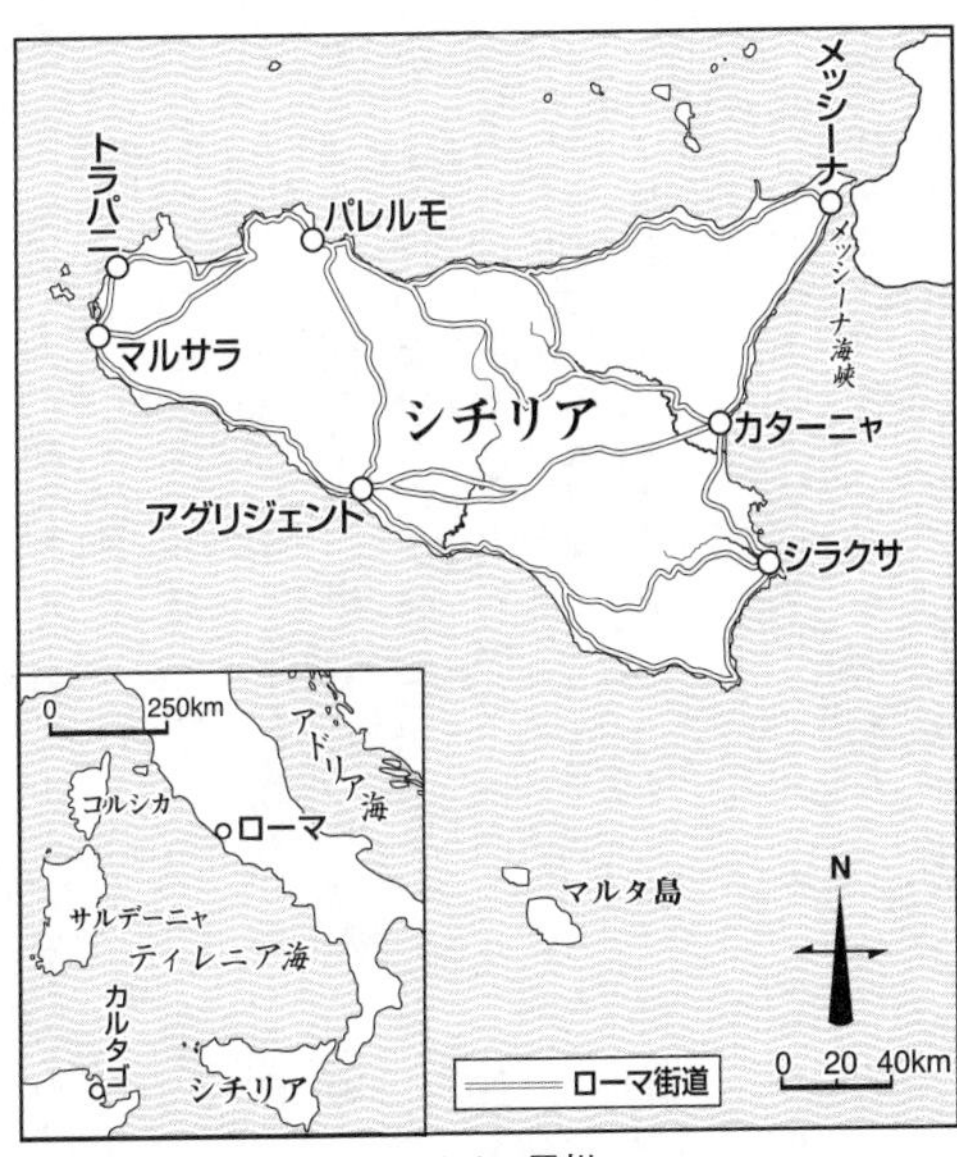

シチリア属州

この七主要都市の他に、これはすでにカエサルが生前に計画していたのを引き継いだものだが、戦略要地ごとに退役兵を入植させた植民都市を七箇所建設した。植民都市(コローニア)とは、どこに建設されようと、その地方の防衛と経済振興の「核」になることを考えて建設される。もちろんのこと、これらの「核」も街道網にくみこまれた。

こうして、内陸部で産する農産物も、効率的に港まで運び出されるシステムが確立する。食糧危機とは、産出高が減少したからというより、産地にはあるのにその運搬がうまく行かなかったがゆえに起る場合が多い。流通システムが効率よく機能するようになれば、農業従事者の収益率は向上し、主食を全面的に輸入に頼っている本国イタリアの住民も安心する。シチリア滞在中にアウグストゥスは、サルデーニャとコルシカの両島の街道網も計画し、これもシチリア同様、早速工事が開始された。

ただし、シチリアは、サルデーニャやコルシカよりも、アウグストゥスの属州統治策の恩恵をより多く受けることになる。なにしろ、アフリカと近い。それに、カエサルが再興を企画しアウグストゥスが完成したことで昔日の繁栄をとりもどしつつあったカルタゴが、一昼夜の船旅の距離にある。再興されたカルタゴには、再び北アフリカの物産が集中しはじめていた。シチリア人といっても、ギリシア系である。ギリシア民族の商才は有名だ。シチリアは、農業の地に加えて物産の中継基地としても再開発されたのである。

ポエニ戦役当時のローマ人にとっては、新鮮さを失わずに三日の船旅でローマに着くカルタゴのいちじくは、これほどの見事な農産物を生産できる敵が三日の距離にいるというだけで脅威だった。しかし、あの時代から百五十年が過ぎたこの時期にアウグストゥスが確立を期した「パクス・ロマーナ」は、かつての脅威を生活の充実に変えたのである。地中海の真中に位置するがゆえに、大国間の抗争の舞台に使われやすかったのが従来のシチリアのマイナス面であったのだが、それが「パクス・ロマーナ」（ローマによる平和）の確立によって、プラスに変ったのである。

また、シチリア社会の安定にも、アウグストゥスによる属州統治システムの確立は役立った。

元老院担当の属州になっているシチリアの統治は、総督になって赴任した元老院議員が行う。だが、アウグストゥスの属州統治改革では、総督には徴税権はない。最も公正を求められる徴税事務は、アウグストゥスが直接に任命する「財務官（プロクラトール）」の責任になる。属州総督といえども、統治権をちらつかせては税金をまきあげることは不可能になった。共和政時代に、告発者キケロをいちやく有名人にした裁判の被告、シチリアの悪徳総督ヴェレスのような存在は姿を消したのである。

属州に留めおかれたシチリアの住民は、収入の十分の一の属州税を納めねばならなかった。しかし、少額の十分の一よりも多額の十分の一のほうが、払っても残る額は多くなる。この属州シチリアには、そしてサルデーニャにもコルシカにも、一個軍団も駐屯（ちゅうとん）していない。駐屯させる必要もないほどに、社会が安定していたからである。

翌・紀元前二一年には、アウグストゥスの視察先はギリシアに移っていた。

ギリシアは、カエサルとポンペイウスの対決、アントニウスとオクタヴィアヌスの連合軍とブルータス、カシウスの軍との対戦、そして、クレオパトラとアントニウスに対するオクタヴィアヌスと、ローマの内戦中のすべての主たる会戦の舞台になったという、不幸な二十年を経験させられていた。

衰退期に入って久しいギリシアには、これが最後の一撃になったかのようであった。耕作地は荒れ、いざとなれば避難できる羊を主とした牧畜業だけが生きのびるのではないかと、ギリシア人さえもがあきらめていたのである。当然の帰結ながら、人口の流出が増大した。それも、人口の流出というよりは、頭脳の流出としたほうが適切な人口減であったのだ。ギリシア人が、どこでも生活していける能力の持主であったこともこの一因になった。

まず、ギリシア語自体が、地中海世界の国際語になっている。加えて、ローマ人が教養課目と考えた哲学、論理学、修辞学、歴史、数学、地理、天文学は、もともとからしてギリシアの「学」である。カエサルが、これらを教える教師には民族に関係なくローマ市民権を与えると決めていたので、その特典を活用する者が増大したのだった。職を得られることに加え、ローマ市民になれば、属州税という名の直接税を払わなくてすむからだ。また、ローマまで行かなくても、近くのロードス島で講座を開けば、ローマからの留学生が押し寄せるのだった。

建築と造型美術に至っては、ギリシア人の独壇場と言ってよかった。需要はローマ人、供給はギリシア人の分業形式が最も見事な果実を結ぶのは、この分野をおいては他にない。

医学もまた、古代ではギリシア人の専業としてよい分野に入る。こちらのほうもカエサルのおかげで、ローマで開業したり、ローマ市民で成り立っている植民都市(コローニア)やローマの軍団基地の軍病院にでも勤務すればローマ市民権が取得でき、属州税免除の身になれた。

商才に長じていれば、地中海世界の海港都市はすべて、彼らに活躍の舞台を提供する。船乗りとしてもギリシア人は優れていたので、地中海にかぎらず紅海からインド洋にまで進出していた。この時期、その中の一人によって、モンスーン現象が発見されている。という具合で、古代のギリシア人は、後代のイギリス人以上に、祖国を離れても生活の手段に困る怖れのない人々であったのだ。

しかし、これを放置しておいては、ギリシア本国の空洞化は避けられない。そのようなことになっては、ギリシア文化を尊重するローマの指導者階級にとっては、気分的にも耐えられないことであったろう。そして、ローマの防衛戦略からしても、ギリシアが豊かになり人口も増え、優秀な人材が活躍できる土地にもどることが好都合であったのだ。なぜなら、北部ギリシアこそ、ドナウ河を防衛線としたいローマにとって、信頼できる後方基地になるからであった。

カエサルによってマケドニアとアカイアの二属州に分けられていたギリシアは、アウグストゥスの時代になってこの二属州ともが「元老院属州」となった以上、本来ならば統治権は元老院にある。それゆえ、法的には、アウグストゥスの出る幕はないはずだが、彼の巧妙な権力掌握のやり方のおかげで、属州の統治は元老院議員が行なっても、統治の基本方針を定める属州の再編成はアウグストゥスの仕事であるのが当然、という感じになっていた。

ギリシア属州とその周辺

それでもアウグストゥスは、ギリシアにいながら、総督の駐在するアカイア属州の州都のコリントにも、マケドニア属州の州都のテッサロニキにも、足を踏み入れていない。彼のギリシアでの滞在先は、もっぱらアテネであったようである。カエサルとちがってアウグストゥスは、気軽に馬を駆っては自分の眼で確かめに行くタイプではなかった。それゆえか、コリントを訪問していたならば必ずその必要性を認めていたにちがいない、コリントの地峡を切り開いてイオニア海とエーゲ海をつなぐ計画には、まったく興味を示していない。コリント海峡も、カエサルが計画しながら実現は十九世紀を待たねばならなかった、土木工事の一例になる。

アテネに滞在中のアウグストゥスが、学者たちを招いて教養を高める一夜をもった、というたぐいの史実はない。十八歳で政治抗争の渦中に放りこまれたのでは教養を高める時間的余裕もなかったと思うが、四十二歳になっても彼にはやらねばならないことが山積していたのであろう。アウグストゥスによるギリシアの再建構想は、自治都市と植民都市とそれらをつなぐ街道網で成り立っていた。

自治都市とは、都市国家内の自治は完全に認められ、独自の貨幣の鋳造権もあり、当然のことながら属州税も免除されている都市を指す。ギリシアでは、アテネにスパルタ、それにアウグストゥス建設によるニコポリスも加えた、十には満たない特別地区だった。アテネとスパルタにこの特典が認められてきたのは、ギリシア史上最も有名なこの二都市国家の業績を、歴代のローマの統治者が尊重したからである。

植民都市（コローニア）とは、ローマ軍団の満期除隊者の入植先で、ローマ市民なのだから属州税を払う義務はない。

そして、高速道路と考えてよいローマ式街道は、これまでのエニャティア街道一つから、これらの自治都市と植民都市を結ぶネットワークに発展していくのである。

アウグストゥスが、経済の振興こそがギリシアの再建につながると信じていたと思えるのは、列柱で囲まれた広い市場(マーケット)を市の北部に建てて、それをアテネ市民に贈った一事にも示されている。これに対してアテネ市は、ローマとアウグストゥスに捧(ささ)げた神殿をアクロポリス上に建て、アウグストゥスとアグリッパの彫像をつくってその中に立てることで返礼とした。

〝貿易センター〟を寄付するローマ人と、そのお礼に神殿と彫像を贈るギリシア人。地中海文明の二大主人公であるこの二民族の、性向の差異がうかがわれて面白い。

そして、二人の彫像が並んで安置されたという一事からも、アウグストゥスとアグリッパはこの年、アテネで合流し、オリエント対策のバトンタッチを果したのではないかと思う。ギリシアからさらに東に向うアウグストゥスに、アグリッパは同行していない。バトンタッチを済ませたアグリッパは、首都ローマに帰ったのだ。そして、これ以後のアウグストゥスの東方行には、ここまでの視察行の同伴者でもあった若いティベリウスが従うことになる。健康に自信のないアウグストゥスの唯一(ゆいいつ)の健康法は、無理をしないこと、即ち、他者にまかせられる場合はまかせる、であったのだから。

アテネは、夏は暑く冬は寒い。その年の冬をアウグストゥスは、温暖な気候のサモス島で過ごす。サモス島は小アジアの西岸に近くある島で、東方対策に翌・紀元前二〇年早々から着手するにも、ギリシア本土にいるよりは便利だった。


古代では「アジア」と呼んでいた現代の小アジアは、飛行機の上から眺めるかぎりは荒寥とした山地の連続で、この地方が取ったり取られたりの歴史をもったこと自体が不思議に思える。しかし、自動車で旅すれば、広大な平野には恵まれなくても耕作地は散在し、水も豊富で、山岳地以外は気候も温暖、なかなかに地味豊かな地方であったことに納得がいく。とくに、ギリシア人の開発した海岸地方は、黒海沿岸、エーゲ海に面したイオニア地方、そしてシリアとエジプトに向って開く小アジア南部と、その経済力はシリアにもエジプトにも劣らない水準にあった。

紀元前五世紀のペルシア戦役からはじまって二百年後にアレクサンダー大王によって決着がつけられた歴史を反映するように、民族構成からして実に複雑である。もともとからの住人であるアジア系は農業に、移住して久しいギリシア系は商と工にもっぱら集中し、これまた移住民族のペルシア系も健在、それに加えて傭兵として来たの

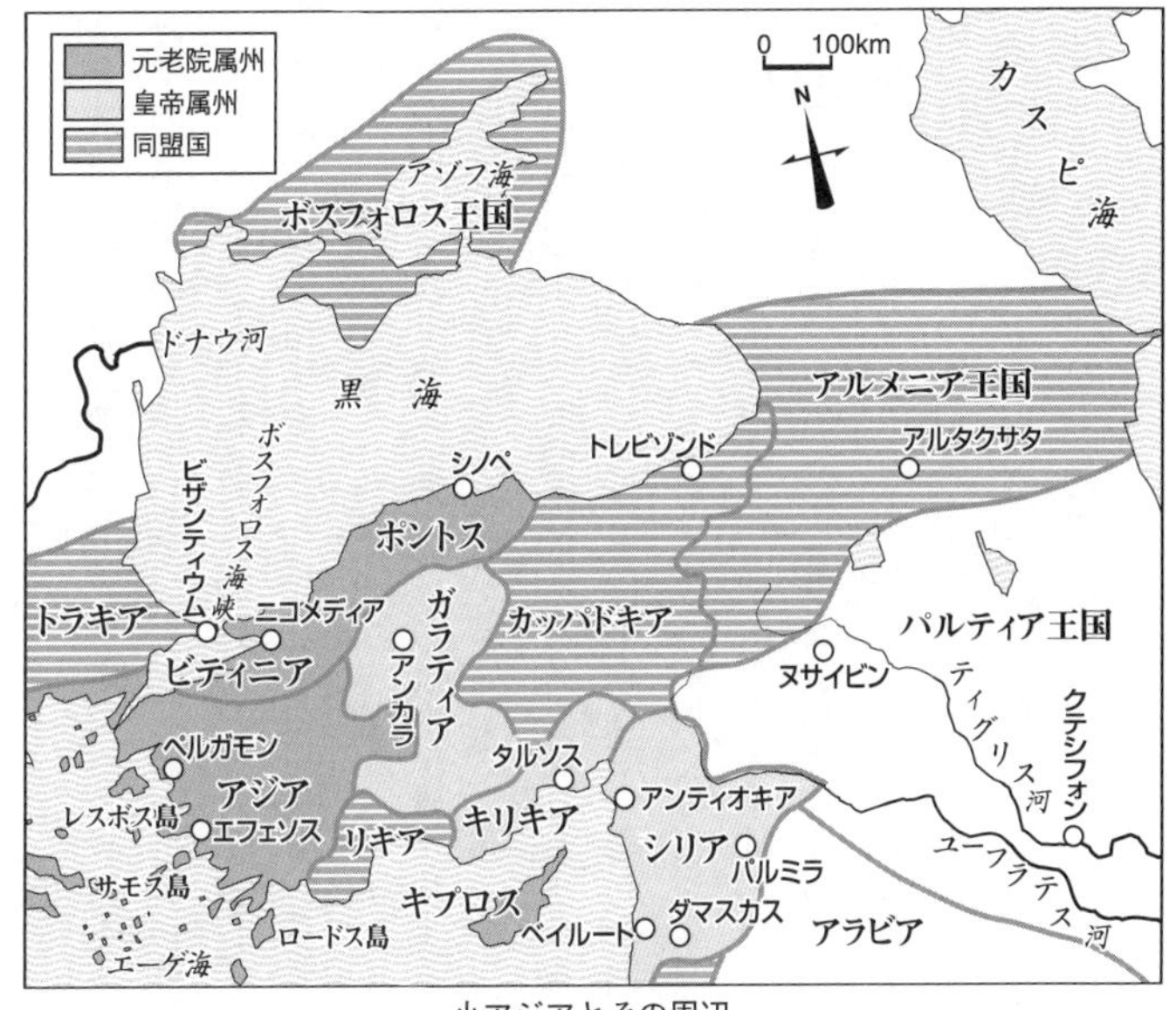

小アジアとその周辺

がそのまま住みついたケルト系住民、さらに小アジアの東方一帯には、アルメニアやパルティア系の人々までが住みついているという有様。多人種、多民族、多宗教、多文化から成るローマ帝国の、まるで縮図でもあるかのような地方であったのだ。

この複雑で潜在力豊かな地方をどう統治していくかは、小アジアの戦略上の重要さも加わって、ローマにとっては常に重要な問題であったのである。スキピオ・アフリカヌスもスッラもルクルスも、そしてポンペイウスもカエサルも、ローマが産んだ優れた武将の全員が、この小アジアに軍を進めた事実がそれを実証している。

それでいながら共和政時代のローマの対小アジア政策は、紀元前二世紀にペルガモンの王が死後の自国をローマに託して以後も、それを属州化した以外は各王国との間に結ぶ同盟関係を軸とすることで一貫してきた。つまりローマは、優勢な軍事力をもちながら、それを使って小アジア全土を属州化することを、可能なかぎり避けてきたのである。

しかし、ローマの同盟国である各王国は君主政を布いている。君主政体がオリエント人の気質と結びつくと、王位継承に端を発した内紛につながりやすい。ローマ人の間での内紛はローマ人の間で決着がつくのに、オリエント諸国では王家間の結婚による結びつきが緊密なためか、他国の介入を呼んでの戦域拡大に進むことが多かった。ローマの覇権下での小アジアの安定が目的であったローマの対小アジア政策も、これでは変らざるをえなくなる。ポンペイウスが先鞭をつけ、カエサルが確立した小アジアのローマ直轄の属州は、アジア、ビティニア、キリキアと三つに増えていた。

この状態を引き継いだアウグストゥスが直面したのが、この三属州とは国境を接するガラティア王国の王の死である。しかも、王位継承者もなしの死であった。放っておけば、近くに控える大国のアルメニアやパルティアの介入を招いていただろう。直轄の属州化を決めたアウグストゥスだが、それを、近隣諸国を刺激しないためにも軍団を使わずに完了させたかった。

特命全権大使にアウグストゥスの「次席」の格まで得て実際の交渉に当ったアグリッパは、次の三条件を約束することで、ガラティアの有力者たちとの交渉を成立させていた。

一、借金返済期間の延期。債務者はガラティア人、債権者はローマ人のケースが大半であったから、これは、アウグストゥスの権力をもってローマの金融業者を押さえたからできたことだろう。

二、属州税の公正な課税を約束すること。属州税は収入の十分の一だったが、これまでに王に払っていた税金よりは軽額であったというから、公正な課税とは、十分の一を上まわらないという意味にちがいない。

三、属州総督の統治地域の明確化。

ローマの属州になった地方にも、ギリシア系の通商都市は多い。それらの都市は共和政時代から、「自由都市」と呼んでローマは認めてきた。アウグストゥスも、これを踏襲する。自由を尊重してというよりも、その地方一帯の経済活動の「核」としてである。これらの「自由都市」には、住民が反ローマに立たないかぎり、ローマ軍は立ち入らないし、属州総督の統治も及ばないのである。自治を認められているのだから税率も自由に決める権利があるはずだが、実際上は一〇パーセントの属州税率を越えることはなかったので、税制上での統一は維持できたのである。周辺地域に課されている率以上の税を課したりすれば、自由都市といえども、住民の流出を阻止することはできなかったからであった。

四、軍団を常駐させない代わりに、ローマの退役兵を入植させての植民都市(コローニア)は建設する。

小アジアの他の二属州、アジア、ビティニアの二属州は「元老院属州」なので、軍団は駐屯させていない。だが、属州化が成ったばかりのガラティアは、アウグストゥス直轄の「皇帝属州」になる。軍団常駐が当然だが、アウグストゥスは、正規軍団はシリアに置くだけで充分と見る。ライン河沿いに常駐させるゆえ他の地方には置かないとした、「皇帝属州」ガリアの例と同じだった。

そのうえ、ローマ市民が入植してくる「植民都市(コローニア)」も、先住のギリシア系住民の利害と衝突しない地方を選んでいる。いずれもガラティアの内陸部で合計六箇所。退役兵の入植先の土地も、取りあげたのではなく、アウグストゥスが自費で買い上げたのだった。植民先が内陸部に集中しているのは、通商が得意のギリシア人に対し、農牧が得意のローマ人の資質まで考慮しての選択でもある。経済の振興も、バランスがとれてこそ恒久化も期待できる。ギリシア人とちがってローマ人は、内陸部の振興にも熱心だった。属州ガラティアの州都も、アンカラと決める。そして、もはや言うまでもないことだが、これらの「核」をぬいながら、街道と橋から成るローマ式〝インフラ〟のネットワークが形成されていくのである。こうして、小アジアの中央部のガラティアは、平和裡にローマの属州に組み入れられた。

レスボス島を逗留先にしていたアグリッパの活動範囲も広かったが、サモス島に落ち着きながらも、アウグストゥスの視察行も広範囲にわたった。サモスには、冬に帰るだけであったようである。二人とも四十代の前半の年頃。しかも、帝国の基盤固めはこの二人の肩にかかっていた。

現代では、トルコの南東の一部にシリアとレバノンを合わせてようやくローマ時代の一属州シリアになるこの地方だが、民族構成もギリシア系、フェニキア系、そして

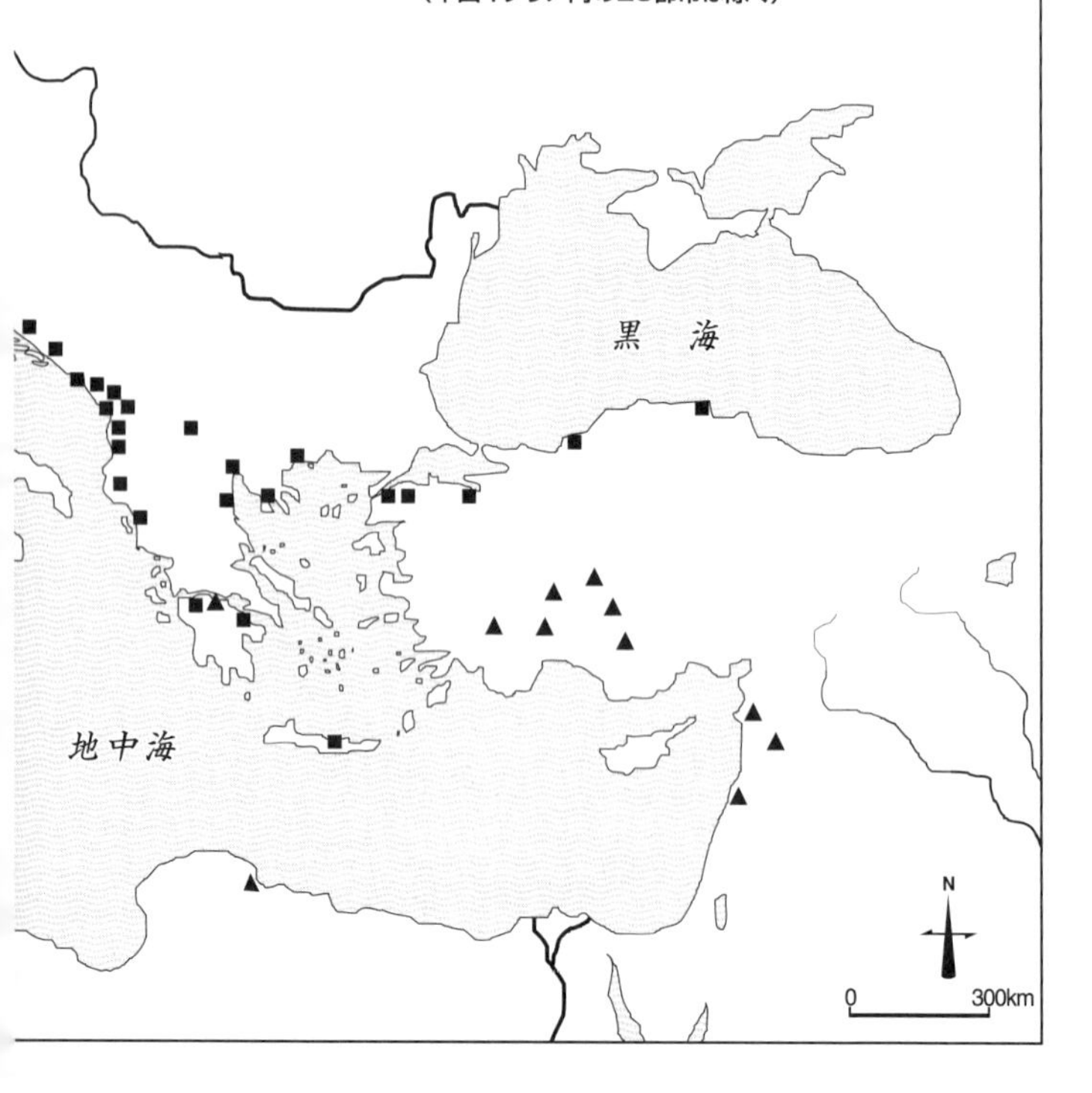

○ カエサル以前に建設されたローマの植民都市（計8箇所）
■ カエサルが建設させた植民都市（計49箇所）
● カエサル死後にカエサルの計画を踏まえて、第二次三頭政治が建設した植民都市（計20箇所）
▲ アウグストゥスが建設させた植民都市（計36箇所）（本国イタリア内の28都市は除く）
黒　海
地中海
N
0
300km

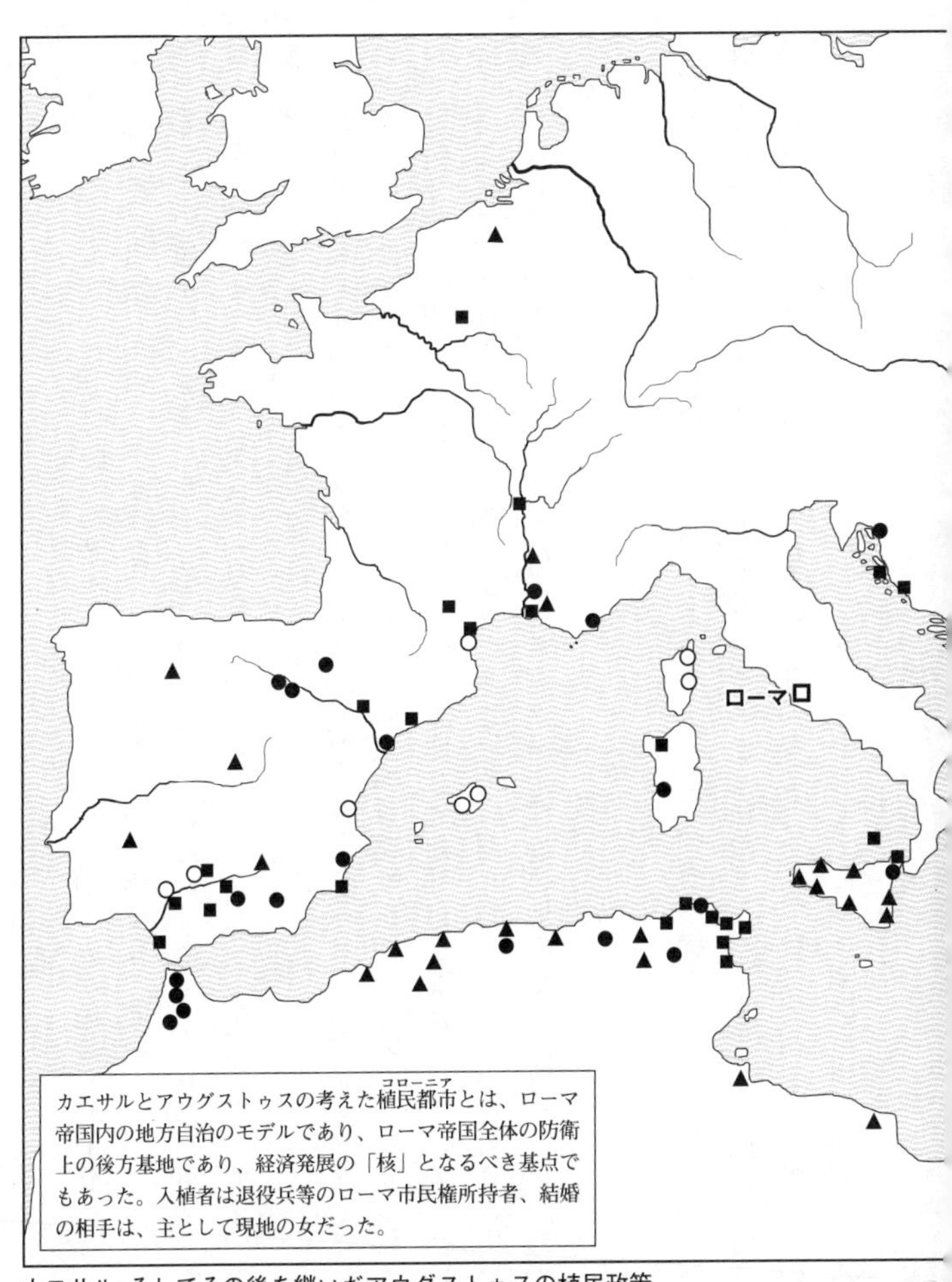

カエサル、そしてその後を継いだアウグストゥスの植民政策

セム族と複雑に分れている。アレクサンダー大王の部下の一人が創設したセレウコス王朝は内紛で自滅し、ポンペイウスによってローマの属州になっていた。

そしてこの属州は、大国パルティアと境を接していたのである。それゆえ軍団の常駐が必要で、アウグストゥスは、「皇帝属州」としたシリアに、平時でも四個軍団を駐屯（ちゅうとん）させることにする。

属州の州都は、セレウコス王朝時代からの首都のアンティオキアに置かれている。ここを訪問したアウグストゥスは、すでにこの地の重要性を知っていたカエサルによって整備された、劇場、水道、浴場、会堂等で埋まった都市を前にして、自分がつけ加えることは、これらの完全な維持を助けることだけだと知った。その代わりにアウグストゥスには、カエサルには手がまわらなかった他の要地の整備が待っていたのである。

属州シリアの真の特色は、境を接するパルティア王国が、強力な敵であると同時に強力な通商のパートナーでもあることだった。ゆえに敵と言っても、その間に防壁を築いて隔絶してしまうわけにはいかない。そんなことをしては、属州シリアの経済の息の根を止めてしまうことになるからである。それゆえに、軍団駐屯地の整備と同時に、砂漠の中のオアシスからはじまった諸都市の振興まで考慮する必要があった。隊商は、これらの町々の安全が保障されないと、別のルートに行ってしまうからである。

アウグストゥスは、ヘリオポリス（現バールベク）に軍団基地を設立し、兵士たちが辺境でも日常生活を快適に送れるようにと、数多の公共設備の充実を命じた。こうしてレバノンの山岳地帯にもローマの文明が浸透していくことになるが、ローマ人は住人の心の中にまでは立ち入らなかったのである。住民は、以前と同じにバール神を信仰する。ギリシア名のヘリオポリスが後にバールベクに変るのも、バール信仰がつづいていた証拠である。

隊商路を考慮してのそのライン上の諸都市の振興策は、アウグストゥスの時代はまず、ダマスカスとパルミラに集中した。なぜなら、この辺りの砂漠地帯には、五つもの小王国が散在し、ローマはこれらと同盟関係を結んでいたからだ。ローマの属州シリアとパルティア王国との間にあるこれらの小同盟国群を、ローマは、パルティアとの間のクッション役と考えていた。その〝クッション〟を締める「核」としても、また通商路を充分に機能させるためにも、ダマスカスとパルミラは好適な位置にあった。

もちろん、アンティオキア＝パルミラ間、パルミラ＝ダマスカス間、ダマスカス＝ベリトゥス（現ベイルート）間、ベイルート＝アンティオキア間、そしてバールベク

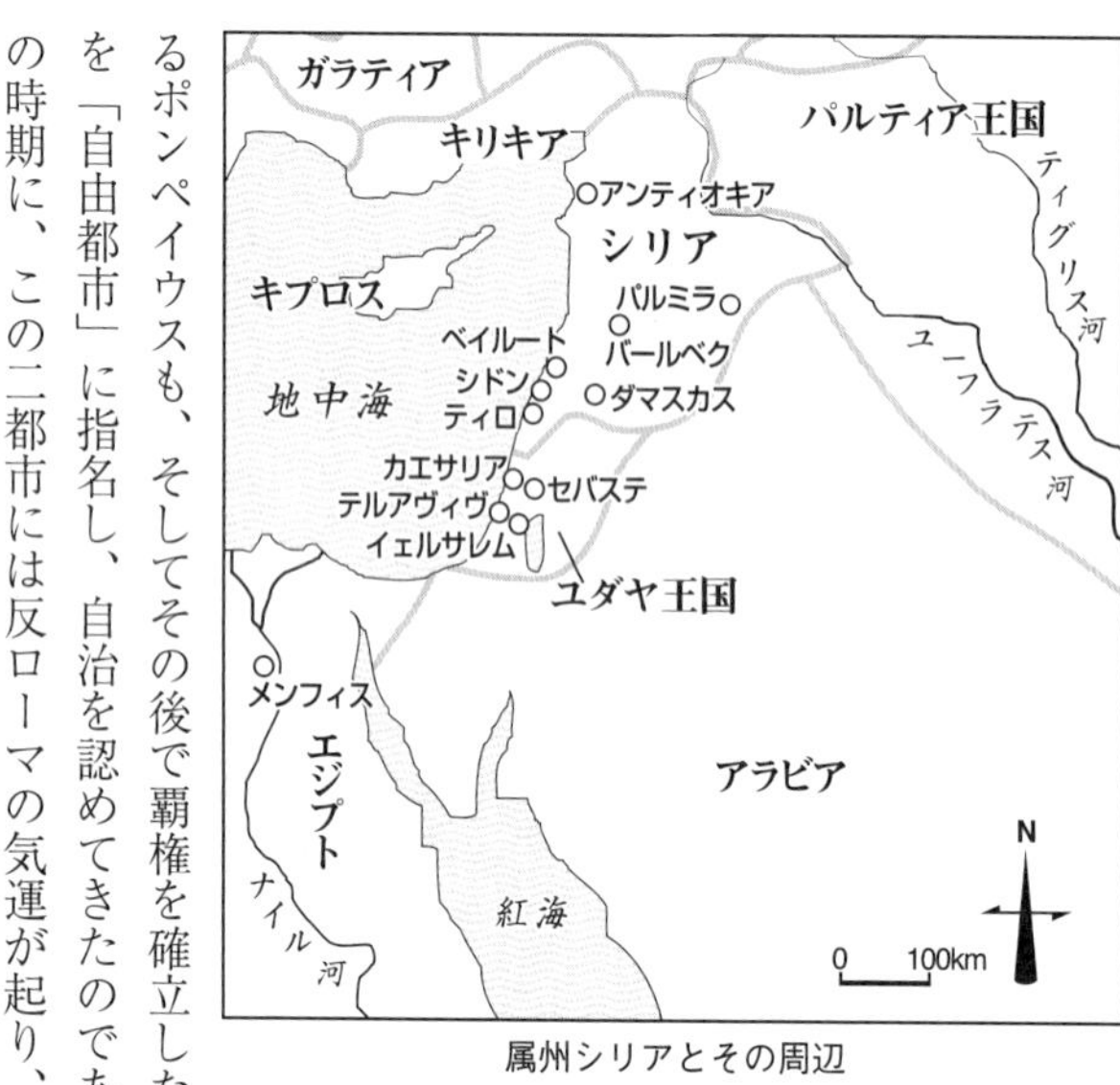

属州シリアとその周辺

＝ダマスカス間と、街道網の整備が成されていくのは言うまでもない。

しかし、アウグストゥスの政策は、それまでのローマの政策の踏襲とそのより以上の振興だけではなかった。ベイルートから五十キロも南に行かない地中海沿いに、フェニキア時代からの古い二つの町、シドンとティロがある。シリア・パレスティーナ一帯をローマの覇権下に吸収した最初の人であるポンペイウスも、そしてその後で覇権を確立した人であるカエサルも、この二都市を「自由都市」に指名し、自治を認めてきたのである。だが、カエサル暗殺後の混乱の時期に、この二都市には反ローマの気運が起り、滞在中のローマ商人たちを殺したという前歴があった。アウグストゥスは、この二都市から「自由都市」の資格を剥奪し、属州シリア内の一都市に降格した。何であろうと自由は認める、ただし、反ローマに立たないかぎりは、が、アウグストゥスの、そしてその後のローマ帝国の、統治の基本方針になっていくのである。

ユダヤ問題

属州シリアの南には、ユダヤ王国が控える。現代では簡単に国境を通過するなどは夢になったが、古代のベリトゥス（現ベイルート）と古代のヨッパ（現テルアヴィヴ）との距離は二百キロしかない。ベイルートの街中の道路標識に、テルアヴィヴ、二百キロ、としたものがあるほうが自然なのである。だが、古代でも、眼に見えない境界線ならば存在した。

属州シリアはヘレニズム世界に属すが、ユダヤ王国はユダヤ世界なのである。多神教の社会と、一神教の社会のちがいなのだ。言い換えれば、首都ローマにも在住ユダヤ人のための礼拝堂があるのだから、ユダヤ地方にも、多神教の民のための神殿があってもよいのでは、と考えるローマ人と、ローマにユダヤ人のための礼拝堂があるなしにかかわらず、ユダヤ王国内に他の神々を祭る神殿はあってはならない、と断ずるユダヤ人のちがいである。この地方の統治が、ローマにとって最も難事になるのも当然だった。

このユダヤ王国への対策だが、四十年前の紀元前六三年にイェルサレムを征服したポンペイウスも、そして紀元前四八年にローマの覇権確立に努めたカエサルも、属州化は考えなかった。ローマの覇権を認めたうえでの同盟関係、つまりローマの友好国であるだけで充分と見ていたのだ。とくにカエサルは、ヘレニズム世界とてギリシア系の商人が特権を享受してきたこの世界で、第二位に耐えつづけたユダヤ商人にも同等な立場を与え、ユダヤ人の熱狂的なまでの支持を獲得していた。

実際、ギリシア人が支配していた時代よりもローマ人の支配下に入った時代のほうが、ユダヤ人にとっての環境は改善されたのである。だがこれは、理を解す人々にだけ通用する考え方だ。それに、経済の活性化は富の格差を生まないではすまない。また、ユダヤ人のすべてが通商に従事していたわけでもないのである。

それでも、アウグストゥスはユダヤ側に、大王と呼ばれることになるヘロデ王をもつことができた。

ヘロデ王は、紀元前七三年の生れだから、アウグストゥスよりは十歳年上になる。内紛が日常茶飯事のオリエントの君主の典型で、親族間での殺したり殺されたりの前半生をおくった。前四〇年、侵攻してきたパルティア軍は、現王を捕えて親パルティア派の王弟を王位にすえる。退位させられた王の高官だったヘロデは、ローマに逃げた。当時のローマは、アントニウスと、オクタヴィアヌス時代のアウグストゥスの共同統治の時代である。二人とも、パルティアと親しい現王を認めるわけにはいかない。それに三十三歳のヘロデは、その明晰(めいせき)な頭脳と現実的なものの見方と強い意志で、ローマの指導者階級の好意と信頼を獲得していた。そしてさらに重要なことは、三十代という知力も活力も充分な年代に、ヘロデはローマの力(パワー)を正確に読みとったのである。

ほどなくこのユダヤ人は、アントニウスとオクタヴィアヌスから与えられた「ローマ市民と元老院の友であり同盟者」の称号をもって祖国に帰還する。反攻は成功し、彼はユダヤの王位に就いた。

ユダヤの王ヘロデに対するローマ側の評価がいかに確固なものであったかは、クレオパトラが強く望んだにかかわらず、アントニウスがユダヤ王国だけはクレオパトラに与えなかった一事でも証明されよう。そして、アントニウスの敗死後も、ヘロデのユダヤとアウグストゥスのローマの関係は良好そのものだった。

それに一役買った人に、ダマスカスのニコラスという人物がいた。ダマスカス生れのギリシア人で、アントニウスとクレオパトラの間に生れた子たちの家庭教師をしていた男である。教養人としても優れ、著作も多い。この男が、ヘロデ王の顧問になったのである。

ユダヤ人とギリシア人のこの二人は、次の一事で完璧に一致した。即ち、ユダヤ王国は、ローマの「クリエンテス」として存続することでその独立を維持していくのが最善策である、と。

ローマ時代のクリエンテスの意味が、単なる被保護者に留まらず、保護者を後援する立場でもあることはすでに述べた。それゆえに具体的には、外敵に対するユダヤの安全は保護者（パトローネス）のローマが責任をもつが、被保護者（クリエンテス）のユダヤもまた帝国の安全保障の一翼をになうのである。ローマにしてみれば、東方のパルティア、南方のアラビアへの防衛線の一翼を、ユダヤがになってくれるということであった。ユダヤの独立への尊重は、そのことへの当然の交換条件であったのだ。

もちろんのこと、ユダヤ人の信教はいっさい自由。イェルサレム神殿の再建も、まったく問題なしである。

ヘロデ王の親ローマ政策も徹底していた。ユダヤ国内にも、ギリシア・ローマの神々を祭った神殿が建てられる。サマリアは、アウグストゥスへの感謝のしるしとして、セバステと改名された。海港として、カエサリアが建設される。カエサリアが、「カエサルの都」という意味であるのは言うまでもない。そしてそのカエサリアには、ローマとアウグストゥスに捧(ささ)げられた神殿も建てられた。イェルサレム内にすら、アウグストゥスの妻のリヴィアと、今ではアウグストゥスの婿(むこ)にもなったアグリッパから贈られた公共建築が造営中だった。

しかし、ユダヤ民族は選民主義でもある。自分たちこそ神から選ばれた民族と考える人から見れば、他の民族は神が選ばなかった民族ということになる。それなのに、たとえそれが公共のための建造物であろうと、劣等民族であるはずのローマ人に関係する建造物が自国内に建ったり、王の統治が親ローマ派に傾くのは耐えがたい現象なのであった。これに、ヘロデ王のオリエント君主的な国内への強硬策が輪をかける。一神教と選民思想の結びつきがいつどのように火を噴くかは、これらとは反対の極にあったローマ人にとっては、容易に予想がつき対策も立てられるというたぐいの問題ではなかったのである。

だが、五十代に入ったヘロデの王位は、いまだ確固としたものだった。そして、ヘロデよりは十歳若いアウグストゥスは、自ら進んで問題を掘り起す型の人間ではなかった。このアウグストゥスの性向は、彼の東方視察行の最大の課題、パルティア問題の解決法にも示されることになる。

パルティア問題

地中海世界の覇者になって以後も、そのはるか東方のティグリス・ユーフラテス両河を拠点とするパルティア王国を気にしなければならなかったのは、パルティア問題の解決なしには、ローマの東の防衛線が確立できないからである。しかも、紀元前一世紀当時のローマの敵の大半は、小君主国や蛮族になっており、王国として大規模の正規軍を出動させうる国は、クレオパトラのエジプトを降して以後は、パルティア一国しか残っていなかった。

ところがそのパルティアに、ローマは一度も勝っていない。ルクルスもポンペイウスもユーフラテス河には迫ったが、パルティアとの正面きった戦闘まではしなかった。紀元前五三年、当時の「三頭政治」の一頭であったクラッススがはじめてパルティアとの正面きっての対決に挑戦したのだが、従えた四万の軍勢のうち、逃げのびるのに成功した者は一万足らず、捕虜にされた者一万余り、そして残り二万は戦死という惨めな敗北を喫していた。総司令官クラッススをはじめとする指揮官クラスで生きのびたのは、後にカエサル暗殺の首謀者になるカシウス一人。ローマ軍にとっては何よりの屈辱である、銀鷲旗と呼ばれる軍団旗もすべてを敵の手に残しての完敗であったのだ。

紀元前四四年の三月十五日に殺されたカエサルが、パルティア遠征に発つ直前であったことは知られている。パルティア問題の解決なしには帝国の東の防衛線が確立できなかったからであり、と同時に、ローマ人は負けたままで放置することはしなかったからであった。

だがこれも、カエサルの暗殺とその後につづいた内乱状態で先送りになっていた。それでも紀元前三六年にアントニウスが、パルティア遠征に挑戦したことはしたのである。そのとき従えた軍勢は、同盟諸国からの参加軍も加えて十一万。ところがこれも、八ヵ月におよんだ遠征で二万もの兵を失い、壊滅的な敗北ではなかったものの失敗に終る。カエサルの後継者を狙っていたアントニウスの野心も、この失敗で大打撃を受けた。

そして、このアントニウスを最終的に降したアウグストゥスが、ローマ世界唯一人の最高権力者になったのは紀元前三〇年である。内戦状態の終結を喜んだローマ人だが、今度こそアウグストゥスがパルティアに雪辱してくれるであろうと期待した。実際、アクティウムの海戦で勝った後もアウグストゥスは、アントニウスを追ってオリエントまで行っている。軍勢を従えてであり、そこからパルティアへは、一ヵ月もかからないで行けたのだ。イギリスの一研究者も書いている。

「もしもアクティウムでの勝者がカエサルであったら、すでにあの時点でパルティア遠征を実行に移していただろう。なぜなら、パルティア問題の明快な解決をしないがゆえに生ずるオリエント一帯の不安定な状態は、放置すればするほどローマにとって、悪化するのは明らかであったからだ。それゆえ、カエサルであったらなるべく早期の解決を期したであろうし、また、アルメニアをはじめとするローマの同盟国へのローマの威信の修復も、先送りするようなことはしなかったにちがいない。だが、アウグストゥスは、カエサルとはちがう性格の持主であった」

アウグストゥスとて、パルティアとの関係を明白にすることが、オリエントの平和の鍵（かぎ）であることは知っていた。しかしローマは、パルティアには一度も勝っていないどころか、クラッスス、アントニウスと、二度まで敗れているのである。三度目の敗北は、絶対に許されなかった。今度もまた敗れようものなら、帝国の東方は総崩れになる。オリエントでは、君主から住民の端に至るまでが、必ず強者につくのである。

アウグストゥスには、最高司令官の品格はあっても、戦闘指揮の才能はなかった。アグリッパは勇将だが、天才的な司令官ではない。アグリッパに託しても、必ず勝つという保証はなかった。カエサルとの性格のちがいに加えて、アウグストゥスが慎重にならざるをえない要因は多かったのである。また、紀元前三〇年当時のパルティアには、ローマの属州をおびやかす動きは見えなかった。結局、アウグストゥスがパルティア問題の解決に動きだすのは、それから十年後のことになったのである。

とはいえ、解決に動き出すのも、いかにもアウグストゥスらしい周到な準備からはじまった。

パルティアでも、王族間の内紛は日常茶飯事と言ってよい。フラテス四世の老齢化が、それに火を点けた。王弟ティリダテスが王位継承者の王子を捕え、ローマに送りつけた。パルティアを敵視するローマだから殺すと確信したからだが、アウグストゥスは、殺すどころか厚遇したのである。

ところがまもなく、老王の側近たちの反撃が成功して、敗れたティリダテスはシリア属州の総督の許(もと)に逃げてきた。これもまた、ローマ側は温存する。使えるカードは、二枚になったことになった。

パルティア側は老王の名で、ローマに対して講和を申し入れてきた。二人の人質の返還が条件である。返還後はもちろんのこと、一人は王位に、一人は首斬(くびき)り人の手に渡されるのは眼に見えていた。

アウグストゥスは、講和の申し出を受ける。ローマ側の条件は、二度にわたった敗北時に奪われた銀鷲旗の返還と、クラッススの完敗当時に捕虜になった、一万のローマ兵の返還であった。パルティア側は、この条件を受け容(い)れた。

アウグストゥスは、条件受諾を告げるためにローマを訪れたパルティアの使節に、王子を渡した。だが、ティリダテスのほうは渡さなかった。ローマ人を頼って身を寄せてきた者をその人の意に反してまで渡すのは、ローマ人の信義(フィデス)の精神に反するがゆえにできない、というのが、アウグストゥスの拒否の理由であった。

祖国帰還後直ちに王子はパルティアの王位に就いたのだが、なぜかそれを機にローマとの講和には乗ってこなくなった。普通ならばアウグストゥスの面子(めんつ)はつぶれたことになるが、この時期に帝国の東方の再編成に出発した彼の胸中には、パルティア問題解決にアルメニア・カードを使う考えがあったのだ。

当時のアルメニアの王は、アルタクセス。アントニウスが退位させた前王の息子である。退位の理由は、王のパルティア接近にあった。ローマの二度にわたる敗北の影響は、このような形であらわれていたのである。だからこそ、父と子を入れ換えても、アルメニアの親パルティア政策は変らなかったのだ。親パルティアとは、反ローマということである。アルメニアに出向くローマの商人たちは冷遇され、殺される者まで出る始末だった。アウグストゥスは、このアルメニア対策とパルティア対策を連関させ、一挙に二つともの解決を期したのである。

紀元前二一年、アテネからサモス島に滞在先を移したアウグストゥスは、同行していたティベリウスに、シリア属州駐屯(ちゅうとん)の四個軍団を率いさせ、アルメニアに向けて進軍させた。見くびっていたローマの思わぬ行動に驚愕(きょうがく)したアルメニアの宮廷は、王アルタクセスを殺し、ローマに恭順を誓う使節を急派してきた。

アウグストゥスの命を受けたティベリウスは、王が殺されて空位になったアルメニア王国の王位に、殺された王の実弟のティグラネスを就け、ローマとの同盟関係を更新させたうえで軍を引く。新王は、ローマで人質の、と言ってもホームステイ先はアウグストゥスの私邸という〝フルブライト留学〟の生活を、長く送った人でもあった。
アウグストゥスが自ら東方に乗りこんできたときから、パルティアには警戒警報が鳴りわたっていたのだ。それが今、北の国境を接する友国アルメニアの寝返りである。アルメニアから引いたローマ軍が南に進路を変えさえすれば、そこはもうパルティア領内だった。パルティア王フラテス五世は、放っておいた講和だったが、ローマ側の条件をすべて飲んでの締結を決めたのである。

紀元前二一年五月十二日、ローマとパルティアの間に結ばれた講和の調印式は、ユーフラテス河に浮ぶ小島という舞台装置も満点の場所で行われた。ローマ側の調印者は、二十一歳のティベリウス。パルティア側が誰であったかは定かでないが、王家の中でも高位の人であったことは想像がつく。調印後にはティベリウスとその随員一同は、ユーフラテスの東側の岸辺にもうけられた宴に招かれ、翌日は、パルティア側の代表とその随員一同が、ユーフラテスの西岸で催されたローマ側の宴に招待されるという、和気藹々（あいあい）のうちに両大国の敵対関係はひとまずは終った。

三十三年前のクラッスス軍の敗北と、十五年前のアントニウス軍の敗北で奪われていた銀鷲旗はすべて返還された。しかし、三十三年前に捕虜になったローマ兵の返還のほうは実現しなかった。パルティア側の思惑によったのではなく、一人の生存者もいなかったからである。その代わり、パルティア軍が戦死者からはぎ取って戦利品として保存していた、ローマの将兵たちの甲冑(かっちゅう)や武具は返還された。

紀元前五四年当時のクラッススのパルティア遠征に参戦した兵士の平均年齢が、仮りに三十二、三歳とすれば、三十三年後には六十歳を越えている。パルティアの捕虜になったこの人々の運命は、奴隷に売られたのではなく、パルティアの辺境の砦(とりで)メルブでの終身兵役だった。メルブは、現イランでさえもない。旧ソ連邦のトゥルクメニスタンにある。厳しい気候と貧しい土地への、流刑(るけい)と同じであったのだ。

紀元前二一六年にカンネの会戦で圧勝したハンニバルは、捕虜にしたローマ兵八千をギリシアに奴隷に売った。二十年後の紀元前一九六年、ギリシアから引きあげるフラミニヌスへの感謝のしるしにと、フラミニヌスの願いを容れてギリシア全土から探し出してローマに送り返した元捕虜の数は、一千二百人である。

ハンニバルのケースは、各地に散っていた者を探し出すという不利を考えに入れても、奴隷の二十年を生きのびることのできた者は、八千のうちの一千二百。パルティアの場合は、一箇所に固まっての流刑にかかわらず、三十三年後には一人も生存していなかったのである。もしも一人でも生存しローマに連れ帰ることができていたならば、パルティア問題の解決をアッピールするのに熱心であったアウグストゥスのこと、『業績録』にも絶対に記したはずである。それが一言もふれていないのだから、生存者を祖国に連れ帰ることだけは、実現しなかったのにちがいない。

だが、もしもカエサルが暗殺されず、パルティア問題の解決が紀元前四四年当時に実現していたとしたらどうであったろう。極寒の地での流刑生活は、十年で終っていたのである。十年後ならば、一万のほとんどは連れ帰れたかもしれない。

このアルメニアとパルティアの問題の解決について、アウグストゥス自身は『業績録』の中で、次のように述べている。

「アルメニアは、その王アルタクセスが殺されたときに属州にすることもできたが、祖先の築いた伝統に従ったわたしは、義子のティベリウスを派遣することで、ティグラネスを王位に就けるほうを選んだ」

「わたしは、パルティアが過去の三戦役（クラッススとアントニウスの敗北の間にもう一度軽度の敗北があった）で奪取していた戦利品と軍旗を返還せざるをえない状態に追いつめただけでなく、パルティアのほうから、ローマ市民との友好関係の樹立を求めてくるように仕向けた」

アウグストゥスは、一兵も損わずにパルティア問題を解決した功績を、あらゆる手を使って宣伝した。ユーフラテス河上の調印の日である五月十二日は、毎年それを祝う国祭日になる。武装姿の胸甲一面にその場面を彫らせた、自らの全身像も造らせた。

アウグストゥスの武装姿（胸甲に戦功の浮彫）

彼の意を受けた元老院も、フォロ・ロマーノの中央に建つカエサル神殿の横に、パルティア問題解決を記念して凱旋門を建てることを決議する。それが敵の手中にあるかぎり屈辱はつづく銀鷲旗がもどってきたことが、元老院議員から庶民の端に至るまで、どれほどの喜びであったかは想像も容易だ。そして、現代の研究者の多くも、この一事を、「アウグストゥスの外交の傑作」と賞讃するのである。

まったく、交渉ですべてが解決するのならば、どれだけ人類の理性を信頼できることか。

しかし、アウグストゥスの書いた「戦利品と軍旗を返還せざるをえない状態に追いつめただけでなく、パルティアのほうから、ローマ市民との友好関係の樹立を求めてくるように仕向けた」の一句は、ローマ人に向って書かれたのである。ということは、アウグストゥスならば雪辱をとげてくれると期待していたローマの世論を意識して、実に巧妙な言い方ながら、実際上の雪辱はとげられたのだと伝える、苦心の表現でもあった。こうでも書かなければ、ローマ人は承知しなかったであろうから。

だが、この同じ一事が、パルティア側の筆で伝えられたとしたら、どのような表現になっていただろう。史料がないために引用のしようもないが、もしも遺っていたとしたら、正反対の表現になっていたのではなかろうか。例えば、「軍事行動に訴えることをあきらめたローマは交渉による関係改善を選び、調印はユーフラテスの河上で終了し、パルティアはローマの求めに応じて、ローマ軍旗と戦死した将兵たちの武具を返還した」とでもいうような。

パルティアがこのように見ていたとしたら、アルメニア以下のオリエントの諸国も同じように見ただろう。

アウグストゥスは、西方では支配的になりつつあったローマ人の価値観によって行動した。しかし、価値観とは、残念ながら万民共通ではない。西方の価値観があれば、東方には東方の価値観があるのだ。ユダヤ人にも、彼らなりの価値観がある。そして、西方の価値観が現実への透視に立脚することが多いのに反して、東方の価値観はパワーに左右されるところがちがう。優劣ではなくて、ただ単にちがう。

人種を越え、民族や言語や風俗の壁を越えた国家の創立という理想に共鳴したから、オリエントの人々がアレクサンダー大王の前にひざまずいたのではない。ひざまずいたのは、アレクサンダーが、パルティアの前身でもあるペルシアの王ダリウスを、完膚(かんぷ)なきまでに撃破したからである。それも、一度でなく三度までも。

カエサルはパルティア遠征に出発する直前に暗殺されたのだが、その遠征の目的はパルティア征服にはなく、パルティアを撃破したうえでの、ユーフラテス防衛線の確立を期したからである。

外交によるパルティア問題の解決自体は、まことに理性的な策であった。アウグス

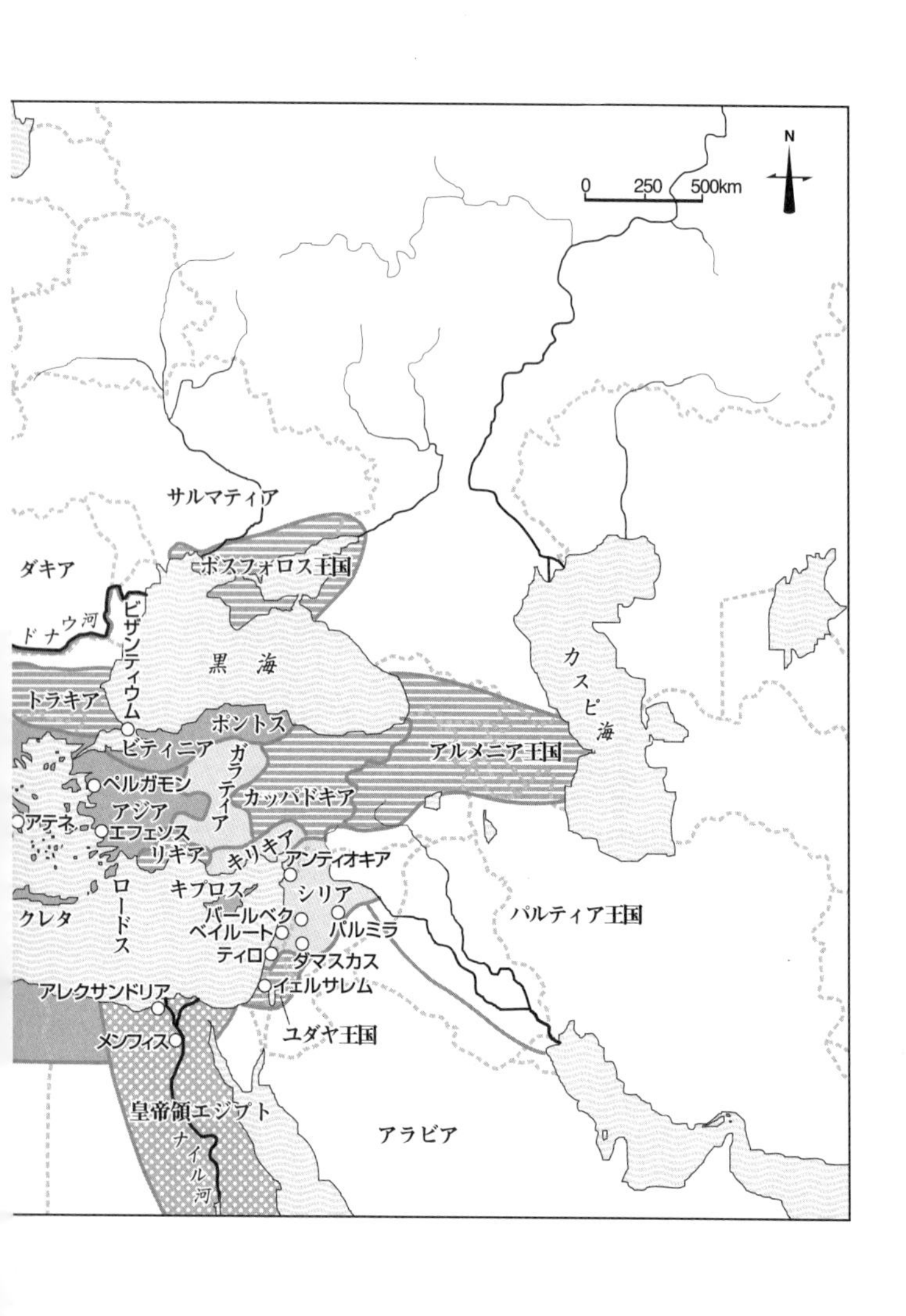

N
0 250 500km
サルマティア
ダキア
ボスフォロス王国
ドナウ河
ビザンティウム
黒海
カスピ海
トラキア
ポントス
ビティニア
ガラティア
アルメニア王国
ペルガモン
カッパドキア
アジア
アテネ
エフェソス
リキア
キリキア
アンティオキア
キプロス
シリア
ロードス
クレタ
バールベク
ベイルート
パルミラ
パルティア王国
ティロ
ダマスカス
アレクサンドリア
イエルサレム
ユダヤ王国
メンフィス
皇帝領エジプト
アラビア
ナイル河

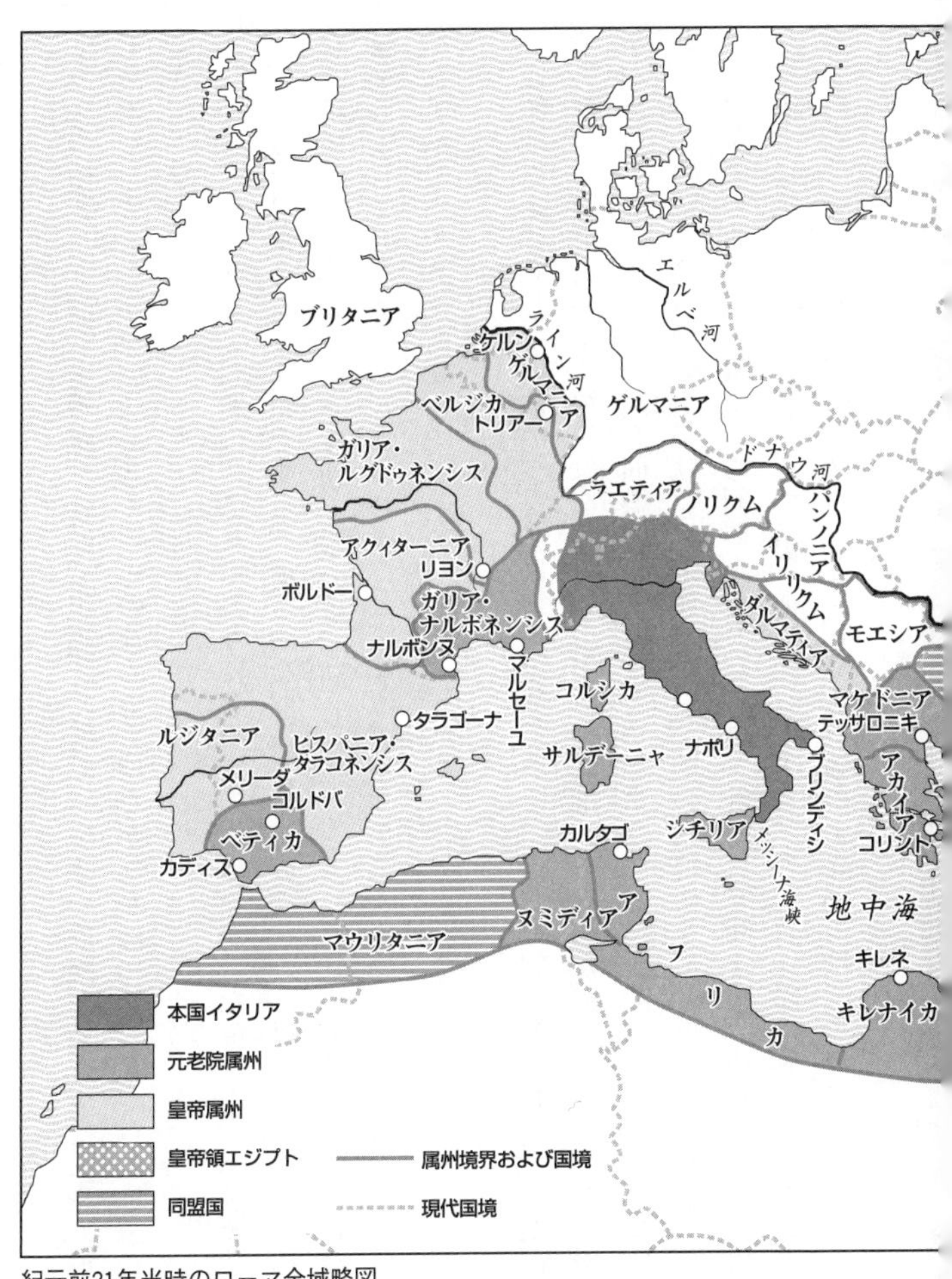

紀元前21年当時のローマ全域略図

トゥスの使えた〝駒〟を考慮すれば、現実的であり、失敗の危険が最も少ないやり方であったとするしかない。そして、その進め方も、なかなかに巧妙であったのは認めよう。

しかし、パルティア問題は、これで終りになったのではなかった。いや、パルティアどころかアルメニア問題ですら、恒常的な関係樹立に成功したわけではなかったのだ。結局、ローマの統治が成功するのは、同じ東方でも、ギリシア系の住民が指導層を形成している地方にかぎられることになる。ギリシア人とローマ人ならば、価値観を共有できたからであった。

価値観さえ共有していれば、妥協は常に可能である。そして、妥協の必要さえ明確であれば、距離などは障壁にはならない。黒海の北端、ドン河が流れこむアゾフ海をかかえるボスフォロス王国を同盟国にすることができたのも、王族はペルシア系でも、七百年このかた住みついたギリシア系住民が、王国の指導層を成していたからだった。ローマがこの北端の小王国との同盟を望んだのは、純粋に軍事上の理由による。黒海を覇権下に置かないかぎり、その南に横たわる小アジアの安全保障は確立できないからである。小アジア北辺のシノペ、トレビゾンド等の主要都市は、黒海の波にさらされているようなものなのだ。それに、黒海の出口にあたるボスフォロス海峡を手中にしないかぎり、属州ギリシアと属州アジアの間は断たれてしまうのだった。

ボスフォロス海峡とは広い黒海をはさんで位置するこの小王国も、オリエントの君主国の例にもれず王位をめぐっての争いの絶えない国だったが、小部隊を派遣しての調停にあたったアグリッパによって、女王の許での安定政権が成立していた。ローマは、ボスフォロス王国との同盟締結によって、黒海側からも、アルメニア王国を牽制(けんせい)できるようになったのである。

エジプト

完全な被征服国でありながら統治が順調に進んでいたのが、プトレマイオス王朝滅亡後のエジプトであった。第V巻中のクレオパトラの項でエジプト統治上の特殊事情について述べたとおり、この国だけはアウグストゥスの個人所有の形をとっている。だがこれも、エジプト人を納得させるための形式にすぎなく、アウグストゥス自身も当時のローマ人も、エジプトは国家ローマの所領と思っていた。

しかし、建前上の形式とはいえ、公的なものだ。それにローマ人は、ケース・バイ・ケースが伝統の民族でもある。エジプト統治の実践者がアウグストゥスの任命による騎士階級出身の「代官（プレフェクトス）」であっても、元老院内の共和政シンパでさえも抗議しなかったのである。エジプトには、アウグストゥスの許可なしには、元老院議員は足を踏み入れることもできなかったが、これもまたエジプトの特殊事情を配慮したがゆえであった。価値観の中に共有不可能なものがあっても、もしもそれを認めたほうが統治上得策ならば認めるのが、ローマ人の考え方であったのだ。神とされているファラオの支配の歴史が長かったエジプトでは、市民の共同体である国家ローマに支配されるよりも、父カエサルが神格化されたために「神の子」になってもいるアウグストゥスが治めるほうが、摩擦もより少なくて済むのである。とはいえ、「神の子」アウグストゥスの統治自体は、人間そのものであったのだが。

アレクサンダー大王の征服からの三百年間、エジプトの指導層を形成していたのは、征服者とともに入ってきたギリシア人である。ローマは、そのギリシア系住民を被征服民として押さえこむのではなく、彼らとの価値観の共有点に眼をつけて、それを活用するやり方をとった。つまり、エジプト経済の活性化である。

エジプト経済も総体的には、農と工と商で成り立っている。「商」は、もともとからしてこの方面のエキスパートである、ギリシア系住民にまかせた。東洋からの高価な物産に二五パーセントの関税をかけたぐらいがローマの新政策だが、これも通商の衰退にはつながらなかった。ローマ帝国という一大市場に直結するようになって、通商の量そのものが増大したからである。

「工」のほうも、ローマでの公共建築ラッシュを受けて一段と活性化した。エジプトに集まるアフリカ産の色大理石が、イタリア産出の白大理石とはりあう勢いで使われはじめるのも、帝政時代に入ってからである。

しかし、エジプト経済の基盤は、ナイル河の恵みを受けることのできる「農」にある。ファラオの時代からエジプトの豊かさが有名であったのは、農業の生産性の高さゆえであった。プトレマイオス王朝の歴代の王たちも、農業の振興には熱心だった。だが、王家が陰謀に振りまわされる時代に入ると、誰も地味な政策になどかかわっていられなくなる。それに農業政策は、持続的に行わないと効果が出てこない。ナイル河の水を活用するための灌漑(かんがい)工事も、プトレマイオス王朝の末期には荒れるがままに放置されていた。

アウグストゥスは、アントニウスを追ってエジプトに入った当時から、灌漑システムの抜本的改革が必要であることを認識していた。そして、十年近くが経(た)った今、彼にはこれに着手できる体制ができていた。そのアウグストゥスの指示を受けて、ナイルの水をいかに効率的に活用できるかを目標にした、水路網の整備工事がはじまった。エジプト駐屯の三個軍団の兵士一万八千を動員して開始されたのだが、工事がいかにもローマ的に徹底して成されたので、この数ではとても追いつかない。正規軍団の補助軍事力であるエジプト人の兵士九千を加えてもまだ足りず、民間のエジプト人を多量に傭って工事は進められたのである。灌漑工事はこうして、ファラオ時代のピラミッド工事同様に、エジプト人に職を与えることにもなったのだ。

ピラミッド工事とちがう点は、灌漑工事のほうは、第一にそれは一人の人の死後のためではなく、多くの人々の現世の生活のための工事であり、第二には、完成した後もメンテナンスを忘れることは許されず、それゆえに常に雇用を必要とした点であった。

アウグストゥスのやらせたエジプトにおける灌漑工事がいかに効率性に優れたものであったかは、完成直後にそれを自分の眼で見た、地理学の創始者ストラボンの記述にも示されている。

「プトレマイオス王朝末期には、ナイルの水面は十四クビト（約六メートル三〇センチ）上昇しないと作物の出来はよくなく、三メートル六〇センチでは不作になったのだが、ローマ時代になると、五メートル四〇センチで豊作になり、三メートル六〇センチでも不作にならなくなった」

ナイル河の増水分は水路網に流れこみ、それが耕作地をうるおし、豊富な太陽の助けを借りて作物ができるのである。ゆえに、水路網は造っただけでは充分でなく、不断の手入れを必要とする。ローマ人は、街道その他のインフラストラクチャー重視の伝統からも、メンテナンスの重要さを熟知していた。エジプト農業再興の基盤は、こうして、帝政初期にすでに成ったのである。

しかし、農業の活性化は、〝インフラ〟の整備だけでは充分でない。アウグストゥスはエジプトに、土地の私有化を導入することになる。

土地が、ファラオや王の所有が当り前であったエジプトには、土地面での私有財産の概念がなかった。耕作は、所有主の王から土地を借りて耕すのである。土地の所有主が、神殿である場合も多かった。それゆえ農民の全員が小作農で、自作農はいなかったのである。

クレオパトラを降(くだ)してエジプトの〝王〟になったアウグストゥスは、だから、神殿所有の土地以外のエジプト全土の耕作地の所有主になったことになる。それでいて彼は、国営企業の私営化を思わせる、自分所有の土地の払い下げによる自作農奨励策を実施したのである。

ところがこれが、期待に反して順調に進まなかった。資金をもつギリシア系住民は、「商」と「工」の隆盛を眼の前にして、「農」には関心を示さない。そして、何千年もの間私有地の概念をもたずに生きてきたエジプト人には、突然にそれを言われてもなじめなかった。これがローマ人だったら、借金をしてでも耕作地の購入に馳せ参じただろう。私有財産の概念が確立し、その保護がローマ法の基本理念である国の住人と、そうでなかった国の住人のちがいだった。

それでもアウグストゥスには、耕地の私営化という観点から、土地に資産の基盤をもち、またその購入資金に不足のない元老院議員たちに買わせるという手があった。だが彼は、それは使わなかった。元老院議員でも彼の許可なしにはエジプト入りを禁じたのは、ローマ領になって間もないエジプトの地での、ローマ人のプレゼンスが与える印象を薄めるためである。国際都市化したアレクサンドリアでは目立たなくても、ナイル流域の農作地では目立つのだ。アウグストゥスは、しばらくの間はエジプトでのローマのプレゼンスを、正規軍団兵と徴税事務その他を担当する事務官僚のみにかぎりたかった。

とはいえ、耕作地の私営化なしには、農業の効率的な運営は望めない。そしてそれは、誰かが見本を示してやる必要があった。それで彼は、アグリッパやマエケナスをはじめとする側近や、元老院階級に属さない友人たちに購入させたのである。おかげでアグリッパもマエケナスもエジプトの大地主になってしまったが、アウグストゥスは自家の解放奴隷たちにまで買わせたというから、当初は彼も困り果てたのだろう。

しかし、灌漑工事と街道網の整備と、徐々にしても耕地の私有化の導入は、エジプト農業の生産性を飛躍的に向上させることになった。耕作地に課される地租税は、小麦ならば物納と決まったが、二千平方メートルの畑に対し、地味によって差があったが、三〇から六〇リットルの小麦であったという。収穫量がどのくらいであったかが不明なので、この税率で高いのか低いのかもわからない。だが、私有化が成功するのは、資本と労力双方での投資に対する利潤に期待できるからである。いずれにしても、アレクサンドリアに運ばれてくる物納分の小麦だけでも、首都ローマの必要量の三分の一を保証できるようになったのだった。

〃インフラ〃整備と耕作地の私営化に加え、アウグストゥスによってエジプトに導入された概念の最後は、政教の分離である。

独立した祭司階級をもたないローマとちがって、エジプトの祭司階級は独立しており、神殿領に名を借りた大土地所有者でもあった。精神上の指導者であるだけならば、ガリアの祭司階級と同じで、独立した階級であっても温存して不都合ではない。だが、エジプトの聖職者たちは、人々の心を支配するだけでなく、人々の生活まで支配してきたのである。つまり、権威のみでなく権力までもっているのだ。地租税も、神殿領ごとに勝手に決めていた。また、権威権力をともにもつ祭司階級が国政にまで口を出すことしばしばであったのが、エジプトの国情の不安定要因でもあったのである。

アウグストゥスも、多神教の民であるローマ人の一人である。エジプト伝来の宗教の廃絶などは、まったく考えなかった。国内安定の可否をにぎる重大要素でもある、エジプト宗教をコントロール下に置くことだけを考えたのである。

プトレマイオス王朝の王たちが競って寄進したために広大なものになっていた、各神殿の領地は没収された。おかげで、私有化の奨励などではとても追いつかず、小作人が国家から借りて耕すという借用形式が、しばらくは一般的になる。

ローマの祭司は市民の名誉職ゆえ生活の手段まで配慮してやる必要はないが、エジプトの祭司たちは独立した階級だから、神殿領を没収すれば代わりの生活手段を与えてやらねばならない。アウグストゥスは、祭司たちには、エジプト統治政府から給料を払うことにした。これだと、コントロールにも実効力が増す。

そして、各神殿には独自の運営を認めず、すべての神殿をアレクサンドリアに住む最高祭司長の監督下に置くと決めたのである。つまり、祭司たちは誰でも、最高祭司長に服従しなければならないと変った。ローマ側にしてみれば、複数よりも一人のほうが、コントロールもよほど容易になるからだ。

これらに加えて各神殿には、最高祭司長に対して年に一度、神殿の経済状態から祭司の数などすべてを報告する義務が課された。それに、神殿で奉仕する祭司の数も定められる。祭司の数が規定以上になっても罰せられることはなかったが、規定数を越えた祭司は、祭司たちには認められた免税の特典を受けられないとは決まった。

アウグストゥスがはじめ、彼の後継者たちにも受け継がれていくエジプトでの政教分離政策は、分離しただけであって排除したのではない。それどころか、エジプトの神殿の修復や新築工事はローマの皇帝(カエサル)たちの仕事の一つになっていく。「カエサルのものはカエサルに、神のものは神に」は、イエス・キリストに言われずとも、ローマ人は実践していたのである。

首都帰還

これらのすべてが、紀元前二二年から前十九年の間の東方視察中に、アウグストゥスが成しとげた諸政策であった。ギリシア経由で帰国の途についたアウグストゥスは、立ち寄ったアテネで詩人のヴェルギリウスと会う。彼よりは七歳年上の詩人は、アウグストゥスの腹心で現代の〝メセナ運動〟の始祖でもあるマエケナスの後援を受けている文人の一人でもあったから、アウグストゥスとは旧知の仲だった。皇帝は、病気中の詩人を連れて、ギリシアからは海路イタリアに向った。だが、南伊の海港ブリンディシに上陸したときには詩人の病いは悪化し、ローマまでの同道は無理になっていた。紀元前一九年九月二十一日、ローマの国民詩人とたたえられることになるヴェルギリウスは、ブリンディシで死んだ。叙事詩『アエネイアス』はまだ推敲(すいこう)前で、それを気にした詩人は焼き捨てるよう遺言して死んだのだが、皇帝は許さなかった。アウグストゥスが首都ローマにもどったのは、その年の十月二十一日である。四十四歳の誕生日は、アッピア街道を通って首都を目指す旅の途中で迎えた。

このときの三年ぶりの帰還の様子は、アウグストゥス自らの記述によれば次のようになる。

「元老院の議決によって、執政官クイントゥス・ルクレティウスを首席とする元老院議員たちに法務官や護民官もふくめた一行が、カンパーニア地方（ナポリが中心）まで出向いてきてわたしを迎えた。このような名誉は、わたしの他には誰も受けたことはない」

「元老院はわたしの帰還に敬意を表し、（アッピア街道から首都に入る門である）カペナ門近くにある名誉と勇気をたたえる神殿の前に、帰還した者とそれを助けた運命の女神に捧げる祭壇を建てた。そしてその祭壇では以後毎年、神祇官とヴェスタ女祭司たちによって、クイントゥス・ルクレティウスとマルクス・ヴィニキウスが執政官であった年（紀元前一九年）のわたしの帰還を記念する犠牲式があげられることになった。その犠牲式は、わたしの名をとって『アウグスタリア』と呼ばれた」

大切なことは何一つ記さないアウグストゥスでも、このようなことならば『業績録』に遺すところが微笑させられる。だが、戦闘もせず征服地も広げずに帰還した皇帝を、このように迎えるローマ人が多かったことは、アウグストゥスの幸運でもあった。つい半世紀前までは、殺した敵の数によって凱旋式挙行の可否を決めていたローマである。まったく、今昔の感さえする。カエサルが考えアウグストゥスが実現しつつあった国家ローマの安定成長路線が、世論の支持までも受けはじめていたということであろう。

元老院内の頑固な共和政信仰者ですら歓迎せざるをえない成果を引っさげて帰還したアウグストゥスは、この機に、元老院階級の、つまりは国家の指導者階級の、反撥を買うことと必至の法律の成立を期す。そしてそれは、アウグストゥスという、生れは首都ローマでも精神ならば地方出身者でありつづけた男の、言い換えればすこぶる堅実であった男の、帝国統治というものに対する考え方を示す好例にもなるのであった。

図版出典一覧

カバー	ローマ国立博物館（ローマ／イタリア）©Ministero per i Beni e le Attivita Culturali, Soprintendenza Archeologica di Roma, Museo Nazionale Romano in Palazzo Massimo
p. 8	同上
p. 10	作画：瀬戸照
p. 20	Luigi Canina, "Vedute dei principali monumenti di Roma antica," Sugarco Edizioni, 1990 より
p. 22	同上
p. 30	ローマ文明博物館（ローマ／イタリア） Paola Chini, "Vita e costumi dei romani antichi volume 9: La religione," Edizioni Quasar, 1990 より
p. 32	作画：図考館
p. 63上	カピトリーノ博物館（ローマ／イタリア） © Archivi Alinari, Firenze
p. 63中	ローマ国立博物館　© Bettmann/CORBIS/CORBIS JAPAN
p. 63下	ボローニャ考古学博物館（ボローニャ／イタリア） © Museo Civico Archeologico di Bologna (Italia)
pp. 122-123	同上（4枚とも）
p. 137	ローマ文明博物館 © Scala, Firenze
p. 151	"All of Ancient Rome – Then and Now," Casa Editrice Bonechi, 1988 より
p. 199	ヴァティカン美術館（ヴァティカン）© Archivi Alinari, Firenze

地図作製：綜合精図研究所（pp. 78-79、p. 93、p. 105、p. 131、p. 137、p. 151、p. 165、p. 171、p. 175、pp. 180-181、p. 184、pp. 202-203）

塩野七生著
サイレント・マイノリティ
「声なき少数派」の代表として、皮相で浅薄な価値観に捉われることなく、「多数派」の安直な〝正義〟を排し、その真髄と美学を綴る。

塩野七生著
イタリア遺聞
生身の人間が作り出した地中海世界の歴史。そこにまつわるエピソードを、著者一流のエスプリを交えて読み解いた好エッセイ。

塩野七生著
イタリアからの手紙
ここ、イタリアの風光は飽くまで美しく、その歴史はとりわけ奥深く、人間は複雑微妙だ。――人生の豊かな味わいに誘う24のエセー。

塩野七生著
人びとのかたち
銀幕は人生の奥深さを多様に映し出す万華鏡。数多の現実、事実と真実を映画に教えられた。だから語ろう、私の愛する映画たちのことを。

塩野七生著
サロメの乳母の話
オデュッセウス、サロメ、キリスト、ネロ、カリグラ、ダンテの裏の顔は？「ローマ人の物語」の作者が想像力豊かに描く傑作短編集。

青柳恵介著
風の男 白洲次郎
全能の占領軍司令部相手に一歩も退かなかった男。彼に魅せられた人々の証言からここに蘇える「昭和史を駆けぬけた巨人」の人間像。

ローマ人の物語 14

パクス・ロマーナ［上］

新潮文庫　し - 12 - 64

平成十六年十一月一日発行
平成二十年二月二十日六刷

著者　塩野七生

発行者　佐藤隆信

発行所　株式会社 新潮社

郵便番号　一六二―八七一一
東京都新宿区矢来町七一
電話　編集部(〇三)三二六六―五四一一
読者係(〇三)三二六六―五一一一
http://www.shinchosha.co.jp

価格はカバーに表示してあります。

乱丁・落丁本は、ご面倒ですが小社読者係宛ご送付ください。送料小社負担にてお取替えいたします。

印刷・錦明印刷株式会社　製本・錦明印刷株式会社

ISBN978-4-10-118164-6 C0122